W9-AZP-014

AMOROSOS FANTASMAS

OBRAS DE PACO IGNACIO TAIBO II

SERIE BELASCOARÁN SHAYNE

Días de combate
Cosa fácil
Algunas nubes
No habrá final feliz
Regreso a la misma ciudad y bajo la lluvia
Amorosos fantasmas
Sueños de frontera
Desvanecidos difuntos
Adiós Madrid

Ernesto Guevara, también conocido como El Che
El general orejón ese
La lejanía del tesoro
68
Cuatro manos
De paso
Sombra de la sombra
La vida misma
Sintiendo que el campo de batalla...
Héroes convocados
La bicicleta de Leonardo
El regreso de la verdadera Araña
Doña Eustolia blandió el cuchillo cebollero
Que todo es imposible
Nomás los muertos están bien contentos
La batalla de Santa Clara
El año que estuvimos en ninguna parte
Cárdenas de cerca

PACO IGNACIO TAIBO II

Amorosos fantasmas

Una historia de Belascoarán Shayne

PLANETA

Diseño de colección: Carlos Gayou
Fotografía del autor: Paloma Saiz

Avenida Insurgentes Sur núm. 1162
Colonia del Valle, 03100 México, D.F.

Primera edición en *Obras de Paco Ignacio Taibo II*:
enero de 1999
ISBN: 968-406-818-2

Impreso en los talleres de Litográfica Ingramex, S.A.
Centeno núm. 162, Granjas Esmeralda, México, D.F.
Impreso y hecho en México - *Printed and made in Mexico*

La ciudad es México DF,
aunque los personajes pertenecen
a la más vil ficción.
Y la novela es para
Miguel Bonasso,
Ciro Gómez Leyva
y Juan Hernández Luna,
por motivos diversos
pero por indiscutibles amistades.

¿Y quién jijos de la chingada fue
aquel que dijo que Chopin era cursi?

GUILLERMO CUEVAS

UNO

Hay gente que dice que me detengo en el lado malo de la vida. ¡Dios me guarde!
RAYMOND CHANDLER

HÉCTOR CONTEMPLÓ el rostro enmascarado de un luchador de lucha libre por el que corría una lágrima. Se sorprendió. Primero, los luchadores no lloran, éste es un axioma indiscutible; segundo, existía un problema técnico: la máscara debería estorbar el natural fluir de las lágrimas. Aún así, a pesar de las dos objeciones, el tipo sin duda estaba llorando. Se acercó, desechando su anterior voluntad de verlo todo desde lejos. A mitad de la calle, un grupo de luchadores enmascarados, con capas y uniformes de colores festivos (naranjas, amarillos canario, negros con toques plateados) cargaban sobre los hombros un gran féretro gris-metálico. Tras ellos los mariachis la emprendieron con el *Son de la negra;* un poco más atrás los deudos, justificada y normalmente llorosos; una numerosa familia de origen popular enlutada, amigos, vecinos, mirones. Héctor encendió un cigarro. Llovía.

El cortejo, reorganizado en la entrada del cementerio, comenzó su lenta marcha hacia el último resguardo del Ángel. Los mariachis terminaron su primer ataque al *Son de la negra* e iniciaron la repetición.

Héctor recordó que alguien le había dicho una vez, cuando él era más joven y la ciudad era diferente, que si no se puede escoger el lugar donde se nace, mucho menos el lugar donde se va a morir. Esta ciudad en particular no te dejaba escoger nada, ni el lugar ni la forma; sólo compartir su suerte. No se valía andar diciendo de ésta sí y de ésta no. Todas o ninguna. La tomas o la dejas. Te quedas con ella o te metes debajo de la cama para que no te muerda. Y mientras tanto, no podías evitar seguir siendo sorprendido, porque aunque conocieras todas las esquinas, todos los callejones, todas las locuras que la ciudad podía imaginar, siempre habría una nueva macabra ocurrencia.

La muerte del Ángel no le gustaba.

Los asistentes al entierro encendían veladoras ante retratos del difunto luchador y las colocaban al lado del féretro, mientras se abría la tierra para recibirlo. Los mariachis insistieron. ¿Habría el Ángel pedido el *Son de la negra* como música de despedida terrenal?

Es cierto que el entierro haría palidecer de envidia al mismo Jorge Negrete, pero el Ángel no se merecía una salida de escena como ésa. Lo menos que le debían los supervivientes, según la muy unilateral decisión de Héctor, era la cabeza de su asesino envuelta en celofán y con enorme moño rosa.

El agua comenzó a calarle la gabardina y sintió frío.

Carlos Vargas, su compañero de despacho, trabajaba en unos muebles destripados enfrente del escritorio del detective. Héctor lo contemplaba hacer. El tapicero se había colocado unos *walkman* y bailaba al misterioso ritmo de una música que Héctor no podía escuchar. El detective comenzó a pasar de la curiosidad al asombro. Carlos se movía enfrente del mueble abierto en canal, con el relleno plástico brotando de las heridas, dando pasos de fantasía, danzando con el misterioso ritmo mientras clavaba tachuelas en la parte superior de la tela, que se iba adhiriendo al armazón de madera como la nueva piel del mueble. El detective se había quitado los zapatos y, con los pies sobre el escritorio, bebía un refresco mientras ojeaba una revista de luchadores, rindiendo el último homenaje al Ángel.

—Usted está practicando una quebradora —dijo Héctor de repente—, por ejemplo, algo sencillo, una doble llave Nelson, unas vulgares tijeras, sin ánimo de ofender, nada más como entrenamiento... ¿verdad?

Carlos Vargas asintió, al darse cuenta por la actitud de su vecino, de que el detective le había preguntado algo; aunque era obvio que le valía absolutamente madre el asunto y lo único que le interesaba era la música.

—Y entonces llega un hijo de vecino y lo saluda, le da un abrazo de cuates, de camaradas de toda la vida, y le pone una 38 especial en la nuca...

Carlos comenzó entonces a elaborar los complejos pasos de un danzón mientras seguía tachueleando el mueble.

—¿Me oye usted, doctor en tapicería Vargas? —preguntó el detective, mosqueado.

El rostro de Belascoarán hizo que su vecino y amigo se diera por aludido y se quitara una de las orejeras.

—No, a mí también me parece una chingadera que hayan subido los refrescos —afirmó Carlos Vargas muy serio.

Héctor se rindió; con un gesto dio por terminado el asunto y siguió con el monólogo.

—Y uno está abrazando a un cuate y entonces sale la bala de la 38 y le vuela los sesos… No se vale. El abrazo de Judas, ¿verdad?

Héctor se puso de pie. No sólo el tapicero podía deslizarse en el autismo, también él podía sumarse a las huestes del teatro expresionista. Abrazó a una persona inexistente, sacó el revólver, hizo ademán de llevarlo a la sien del hombre al que abrazaba y simuló el disparo.

—El abrazo de Judas... —insistió Belascoarán, sentándose.

Carlos, sin hacerle mucho caso, se soltó tarareando: “Negra, negra consentida...”

—Así da gusto tener una conversación, lo que se llama una conversa, no mamadas —concluyó el detective, hablando para sí mismo.

El teléfono sonó, haciendo que Héctor saltara de la silla. Después de todo no estaba tan tranquilo como él mismo se decía que estaba. Se estiró para poder contestarlo.

—No, ahorita está ocupado —miró hacia Carlos Vargas que seguía con su danzón tapicero—, yo le tomo el recado... Un *love seat* en chifón rosa... que tenía que haber salido el miércoles...

Tomó nota en un pedazo de periódico que se encontraba sobre la mesa. La letra le salió muy torcida por tener que andarse contorsionando.

—Desde luego, señora...

Colgando, observó a su compañero de oficina y sonrió.

—Y entonces, volviendo a la historia... Tú eres un luchador de lucha libre y estás solito en el ring, las luces iluminadas para ti solo; entrenando fuera de horas porque los músculos no son como eran antes y ya te andas haciendo viejo, y entonces llega un hijo de la chingada, te abraza...

Un luchador enmascarado de blanco (era una máscara conocida, el Ángel volvía de la tumba adelgazado por un largo paseo en el purgatorio), practicaba en solitario en la inmensidad del ring, en el enorme espacio vacío de la arena de lucha libre, más vacía aun porque había sido creada para estar repleta de rostros aulladores. Los reflectores caían sobre su figura que danzaba el ballet de la lucha solitaria, con los golpes en la lona marcando el ritmo. La iluminación aportaba sus propios elementos de irrealidad. Héctor lo contempló. De repente, algo en el aire lo hizo girar la cabeza. Una presencia nueva en aquella noche irreal. A su lado un limpiador de pisos se había quedado inmóvil con el mechudo en la mano, contemplando también al luchador.

—¿Quién es? —preguntó el detective.

—El hijo del Ángel, el Ángel II. Tiene güevos el muchacho, venir aquí después de lo que le hicieron a su jefe la semana pasada...

—Será por eso, por lo que le hicieron al jefe la semana pasada.

El luchador voló en el aire lanzando una patada voladora a un imaginario enemigo. Se levantó. Su rostro tras la máscara sudaba, los ojos vidriosos parecían haber perdido la cualidad de la visión.

Héctor se acercó al ring. El luchador lo miró hacer, pero siguió con su rutina de lanzar patadas voladoras a un enemigo inexistente, ausente en todas partes, excepto en un rincón de sus pensamientos.

Héctor ascendió por una de las esquinas, se columpió en las cuerdas.

—¿Usted era el amigo de mi padre?, ¿el detective? —preguntó el luchador jadeando.

Héctor asintió, encendiendo un cigarro.

—¿Se sabe algo nuevo?

—Nada. Dicen que era un asalto, que era un cuate que lo odiaba de aquí mismo, de la lucha; que era un rollo de viejas... Pura madre, basura. Dinero no traía, pues; si estaba en el ring, ¿en dónde, en los calzones? De viejas, ¿cuál? Mi jefe estaba divorciado, salía con la que quería; mi mamá hace los años que se fue de México, con un gachupín, a Sonora, ni caso que nos hace, años que no escribe. De la lucha, nada; aquí todos somos amigos, y los que no lo son tanto, pues más o menos buena gente, medio pendejos, pero nada pinches, pues. Si aquí ni hay muertos ni heridos, pura faramalla, *show*, puras patadas de cariño. Si las lesiones se las hace uno por sonso, por pendejo, por venir pedo, por no calentar, por descuidado...

El hijo del Ángel se golpeó la palma de la mano con el puño. Sintió que el golpe había sido muy suave, que no valía la pena, que el dolor no llegaba a la cabeza. Volvió a hacerlo. Era inútil. Héctor volvió a la carga. Sabía mucho de esos momentos en que el dolor no quitaba el dolor. Era una vieja historia.

—¿Veías seguido a tu padre?

—A diario. Entrenábamos juntos. Hacíamos pareja en algunos combates, siempre salíamos de gira juntos, hasta guisábamos en casa parejos. Él me crió, amigo. Yo era todo de él. Él me enseñó a caer y me obligó a estudiar ciencias químicas, pero me dejó luchar mientras hacía la carrera. Usted lo conoció, ¿a poco no era como yo digo?, dígame, a ver si no tengo razón.

—Era a toda madre, pero entonces, ¿quién lo mató?

El Ángel II no tenía respuesta y reaccionó de la única manera que el cuerpo le recordaba, volvió a calentar. Héctor insistió.

—¿Por qué no viniste ayer a entrenar con él?

—Él no me dijo que venía a entrenar, dijo que tenía que ver a un viejo amigo, de los de antes de nacer yo; un viejo amigo que le debía una lana. Se me hizo que fue un pretexto, yo pensé que iba a ver a una vieja y por no decirme nada...

Héctor fumó, tratando de mirar hacia otro lado mientras el muchacho comenzaba a llorar. Tenía preguntas, pero obviamente el Ángel no tendría respuestas.

—¿Quién podía querer matarlo? ¿Quién tenía algo contra él? ¿Andaba metido en algún lío? ¿Quiénes eran sus amigos aquí en el mundo de la lucha?

—No lo sé. Por más que le pienso no lo sé. Me cae que no lo sé.

Estaba lloviendo pero Héctor tenía calor. El bochorno subía hasta la ventana en nubecillas de vaho al mojarse el asfalto recalentado durante todo el día. Héctor se había quedado tan sólo con la parte de abajo del pijama. Estaba fumando el tercer cigarro de una tanda que suponía iba para largo. Una noche de insomnio ante la ventana. De vez en cuando las luces de los automóviles variaban el paisaje cambiando la iluminación. El aire sopló en un sentido diferente y la lluvia comenzó a repiquetear en los cristales. Caminó hacia el otro cuarto para cerrar las ventanas, esta vez tenía la sana intención de no permitir que los libros se le mojaran. Cruzó el pasillo tratando de pasar por alto la decoración: decenas de fotos de la muchacha de la cola de caballo clavadas con chinchetas. Eran muchas, de veras muchas. Héctor, a veces, sentía que demasiadas. Una ausencia así se convertía en una presencia, pero el costo era alto.

Al pasar junto al teléfono, colocado sobre las obras escogidas de Steinbeck en dos tomos, y por lo tanto en equilibrio frágil, el timbre comenzó a sonar, como si hubiera adivinado los movimientos del detective.

—¡Por favor Héctor, pon el programa! —dijo Laura en el aparato.

Hector dejó a un lado el teléfono y caminó hacia el estéreo. Se imaginó a Laura: auriculares puestos, el derecho ligeramente levantado para poder hablar por teléfono, colocada frente al micro. Como el retrato de una de aquellas intelectuales que dibujaba tan mal y tan bien el cine de Hollywood al inicio de los sesenta, aquellas doctoras en filosofía que cuando se deshacían el rodete en que llevaban recogido el pelo se transmutaban en vampiresas desmelenadas y de labios carnosos. ¿Quién de los dos era más viejo? Laura, dos días mayor que Héctor. Eso lo tranquilizó.

La voz apareció en medio de la estática, pero no era la habitualmente sensual voz de Laura. Miró el aparato desconfiado.

—...y cuando me asomé por la ventana del patio, nomás se veían los cuerpos ahí tendidos. Se ve que a él le sale sangre de la sien, señorita, por eso lo de la cinta que les mandé...

Laura interrumpió a la mujer:

—Gracias, doña Amalia. Aquí, en vivo, Laura Ramos, en *La hora de los solitarios,* transmitiendo desde los estudios en avenida Revolución de la XEKA. Para los que se unen a nuestro programa en estos momentos, vamos a ponerlos en antecedentes.

Héctor le agradeció a Laura el mensaje personal y comenzó a buscar los cigarros. ¿Dónde carajo los había dejado? Se imaginó a Laura hablando al micrófono como si estuviera enamorada de él, acariciándolo. Quizá era por eso que la voz era tan sensual, tan endiabladamente cachonda. La voz de una mujer enamorada de un micrófono podía hacer prodigios. Los cigarros aparecieron bajo una vieja edición de la revista *Encuentro.*

—Hacia las nueve de la noche llegó hasta nuestros estudios un casete que contenía una confesión amorosa, la cinta iba acompañada por una nota de la señora Amalia González, quien decía que nos lo había enviado después de haberlo encontrado en la escalera al lado del departamento 3, en la calle Rébsamen número 121, en la colonia Del Valle, donde acababa de suceder algo terrible. En contacto con la policía del DF, nos informamos de que en el mencionado departamento 3 se acababa de producir lo que parecía un doble suicidio: una pareja de jóvenes se habían matado...

Algunas palabras le resultaban francamente molestas a Héctor, que estaba tratando de reconstruir la escena, de imaginarse con precisión la calle, el departamento 3, el número sobre la puerta. Le fastidiaban los adjetivos: "terrible". ¿Qué era eso? "Nos informamos." ¿Quién informaba a quién?

Desde la radio la voz de Laura seguía armando la historia:

—...tras formular un pacto amoroso, del que esta cinta era constancia pública... Con el terrible documento en nuestras manos confirmamos con la señora Amalia González que ella había encontrado la cinta en un sobre rotulado a nombre de este programa, cerca de la puerta del apartamento donde se produjo el crimen, y que fue ella la que nos la envió. Si ustedes nos han seguido desde el principio de la emisión, acaban de oír a doña Amalia, contando cómo hacia las nueve de la noche escuchó los disparos, observó por la ventana del patio los cadáveres de los dos adolescentes unidos en el pacto mortal, descubrió la cinta en el suelo del pasillo y nos la envió con un taxista amigo suyo.

Héctor recapituló: una señora metiche, una cinta tirada en el pasillo en un sobre, dos tiros, muertos vislumbrados por la ventana, un amigo taxista.

—En unos instantes y tras un corte comercial —prosiguió Laura— escucharán ustedes este extraño documento. Hemos identificado la voz femenina como perteneciente a Virginia Vali, quien otras veces nos había enviado cintas a este programa, y que murió hoy hacia las nueve de la noche en compañía de Manuel J. Márquez... Más tarde les hablaremos de estos dos jóvenes...

Cuando comenzaron a correr los comerciales, Héctor se dirigió al teléfono.

—Héctor, ¿escuchaste?

—Todo, ¿qué está pasando?

—Ya te contaré, ¿tomaste la dirección?... Está muy raro. Oye bien lo que dicen en la cinta y luego date una vuelta por allí, la estación de radio me autorizó a pagarte para que trabajes para nosotros.

Héctor, que sospechaba que esas cosas no sucedían en la realidad y se sentía obligado a diferenciar claramente entre la realidad-realidad y la realidad de mentiras en la que a veces se convertía su vida, trató de frenar a Laura.

—Oye, espera... —pero se quedó con un teléfono que sonaba a ocupado entre las manos. Colgó.

De la radio salió la voz que a partir de ahora y durante mucho tiempo, conocería como la voz de Virginia.

—Me llamo Virginia, tengo 17 años y no quiero morir…

Héctor conectó la grabadora. Una despedida había que oírla muchas veces para que fuera real. Sin darse cuenta, estaba borrando el último concierto en vivo de Bob Dylan.

DOS

> Estoy sentado al borde de una
> carretera,
> el chofer cambia la rueda.
> No me gusta el lugar de donde vengo.
> No me gusta el lugar a donde voy.
> ¿Por qué miro el cambio de rueda
> con impaciencia?
>
> BERTOLT BRECHT

—ME LLAMO VIRGINIA, tengo 17 años y no quiero morir... Qué ridículo, ¿verdad?, suena como mensaje de alcohólicos anónimos... pero de verdad que no me quiero morir, para nada, cuando se tienen 17 años todas las cosas están por hacerse, hasta las que ya se hicieron alguna vez. No sé por qué pienso que las despedidas deben ser públicas, por eso grabo esta cinta que te haré llegar al programa de radio...

Héctor fue abriéndose camino entre policías y camilleros, forenses y periodistas, vecinos curiosos y mirones; nadie parecía hacerle mucho caso. Había un ambiente de desmadre en el departamento de la calle Rébsamen. Parecía como si los zopilotes asistieran a los despojos de una fiesta. Héctor recorrió los cuartos: en la recámara trabajaban unos médicos de uniformes no muy limpios. Sobre la cama había una muchacha tendida, cubierta por una sábana, sólo libres la cabeza y el cuello; a la altura del corazón, una mancha de sangre. La sábana parecía haber sido puesta después de la muerte sobre el cuerpo desnudo. Era un rostro muy bello al que la ausencia de la vida, la palidez, no le quitaban el gesto de tranquilidad. Una mezcla de la novia que nunca pudimos tener en la prepa y la hija del vecino, que si nos hubiéramos casado a tiempo podría ser hija nuestra y nosotros contemplarla dormir deseándole la mejor de las suertes, los mejores amores, las mejores batallas. Cada vez se veía invadido por más imágenes paternales, pronto comenzaría a pensar en las mujeres con mentalidad de abuelito. En otra esquina del cuarto se adivinaba otro cuerpo desnudo, el del joven, del que sólo se veían los brazos fuera de la sábana. Héctor encendió un cigarro. Estaba fumando demasiado, pero a quién carajos le importaba.

La voz de Virginia le flotaba en la cabeza:

—...despedidas deben ser públicas, por eso grabo esta cinta que te haré llegar al programa de radio... La última que enviaré, por eso me despido. Ya no me siento con ánimos para hablar de amor, porque parece que por ahora no podré conocerlo. Dicen que ya no se quiere como antes, que nuestros amores son bobos, son rascuaches, que son de una triste generación que no tiene pasiones. No es cierto. Supongo que si llegas a poner este casete es porque todo eso es mentira. Te agradezco los ratos que te he robado, Laura, y también a todos los que escuchan este programa.

Una mano cubrió con la sábana el rostro de la muchacha muerta, como haciéndola desvanecerse con un truco de magia. Héctor arrojó su cigarro al suelo y comenzó a rondar por la casa.

Hay veces en que aunque lo parezca uno no está pensando. El vacío es algo fácil de simular aun sin quererlo. Los idiotas, los poetas laureados, los ministros, practican este asunto constantemente. Héctor tenía cara de pensar y sin embargo había quedado atrapado en un rizo del tiempo, una pausa casi interminable de la que sólo podía sacarlo el sonido de la puerta. Cuando éste se produjo, el detective reaccionó lentamente. Constató: estaba solo, era de día. Se asomó por la ventana: allá abajo un grupo de vendedores de periódicos jugaba fútbol. Abrió la ventana. Subían los ruidos de la calle, música tropical de las tiendas de discos. En la puerta un joven vestido con traje y corbata y un álbum de fotografías en la mano lo miraba. Héctor lo invitó a pasar con un gesto.

—Después de lo que hablamos ayer, le estuve dando vueltas y me acordé de lo que había estado platicando aquella noche con mi jefe.

Héctor, desconcertado, miró al personaje. ¿De qué se trataba? En su cabeza hizo las sumas correctas.

—¿Tú eres el hijo del Ángel? Perdona, mano, nunca te había visto sin máscara.

El Ángel II sin disfraz, fuera del juego, sonrió. Resultaba imberbe, demasiado joven, excesivamente formal.

—El de ayer era el uniforme de luchar, éste es el de dar clases de química en la prepa. A veces pienso que mis alumnos y el público agradecerían que fuera uniformado al revés.

—Tengo mis sospechas de que tus alumnos de la prepa te iban a adorar de plano. Yo siempre quise tener un maestro de química que fuera enmascarado.

El Ángel II puso sobre la mesa el álbum de fotos con gran cuidado. Había algo de su padre muerto escondido entre los forros de cuero verdoso.

—Mi jefe estuvo jugando con esto en la noche, dándole vueltas. Que si este cuate, que si esta mujer que había andado con ellos. Como que me quería decir algo, pero no se animaba.

—¿Puedes reconstruirlo exactamente?

Se inclinaron sobre el álbum de fotos. El Ángel lo manipuló pasando rápidamente las hojas. Se detuvo primero en una foto de dos cuates gordos, enchamarrados, abrazados como compinches amorosos y querendones a los que la vida no maltrataba mucho.

—Ésta fue la primera de la que me platicaba, de su cuate Zamudio, que era de donde él, de su pueblo de cerquita de Guadalajara. Hicieron pareja durante un tiempo, yo no lo conocí. Cuando me acuerdo de las primeras peleas de mi jefe, peleaba solo, siempre en solitario, no le gustaban las parejas, hasta que empezamos a pelear juntos dejó los combates de solitario, pero este cuate había sido su primera pareja, se llamaban "Los Fantasmas". Mírelos aquí.

Señaló una foto en el álbum donde un par de enmascarados sangrientos dominaban el ring. Estaban en una pequeña arena de pueblo.

—¿Y qué te decía? —preguntó Héctor.

—No, nomás hablaba de los viejos tiempos.

—¿Y qué decía de la mujer?

—Que era una mujer que los dos querían mucho, y le daba vueltas al álbum, pero nunca me enseñó la foto de la mujer esa.

—¿Estás seguro de que no dijo para nada que iba a ver a este hombre, que le había hablado, que se había reaparecido? ¿No te dio la impresión de que se volverían a ver? Algo así. ¿Podía este tipo ser el hombre que lo fue a buscar a la arena al día siguiente? ¿O que tenía una cita con esa mujer?

El Ángel II dudó, luego, decidiéndose, puso el dedo encima de la foto del compañero de su padre.

—No. Por las cosas que decía más me parece como que hablaba de él como si estuviera muerto. Su amigo el muerto...

—¿Zamudio? ¿Zamudio qué? —preguntó el detective.

—El "Fantasma" Zamudio... Sólo eso.

El sol resplandecía. Héctor estaba sentado en una banca, con un chavito al lado que intentaba pasarle su camión de juguete sobre los pies, cosa que el detective trataba de impedir. Laura pasó corriendo a su lado, iba vestida con *pants* y sudadera, el uniforme de las esposas jóvenes y aún sin hijos que corrían por los parques, con la cada vez más remota esperanza de que se las ligara un jardinero municipal; pero la crisis había forzado a los jardineros municipales al doble y triple empleo y últimamente no cogían gran cosa, y se pasaban el tiempo con la cabeza hundida en el pasto, arrancando malas hierbas y maldiciendo su suerte. Laura no traía los lentes que le daban su habitual cobertura de intelectual y, por lo tanto, más bien lucía como una modelo yanqui de anuncio de Miss Clairol, la cabellera sacudiéndose al vaivén de la carrera.

—¿Cuántas llevo? —preguntó Laura sin detenerse.

—Siete vueltas... —respondió Héctor y luego, subiendo la voz, porque se le desaparecía tras los árboles... —¿Y a ella de qué la conocías?

—Era la hija de una amigaaa...

Héctor observó cómo corría Laura. Le gustaba. No ofrecía resistencia al aire, se ondulaba, ganaba espacio en las curvas...

—¿Y a él? ¿Lo conocías a él? —pero Laura se encontraba ya muy lejos como para escucharlo.

Héctor optó por la paciencia. La otra posibilidad era salir corriendo tras ella, y francamente desconfiaba del rechinido metálico que producirían sus huesos. Cuando mides menos de uno veinte, lo mejor, ser enano. Se lo tomó con calma y comenzó a fumar. Viejos leyendo el periódico (no se lo prestaban unos a otros, cada cual traía el suyo), niñas de un jardín de niños vestidas con suetercitos rojos danzando en una rueda. La fuente.

Laura era una herencia. Cuando el Cuervo había desaparecido, apareció Laura. No era mala herencia. El Cuervo anunció un día al público que dejaba su programa nocturno y una semana después apareció radiante y con voz de terciopelo Laura Ramos. Ella lo llamó un par de veces para contarle historias, Héctor la llamó otras dos para contarle otras. A veces tomaron un café en un desinfectado Vip's sobre Insurgentes. Ella fue la que le contó que el Cuervo le mandaba un abrazo y que estaba en la Sierra de Puebla, dirigiendo una estación de radio para las comunidades indígenas, produciendo programas en náhuatl; desaparecido para los de antes, en otro país a millares de años luz de éste. Ella dijo que parecía contento, que un halo de santidad medio primitiva rodeaba su rostro; que cada vez estaba más miope, que estaba leyendo *El Quijote*. Total que Héctor le había mandado la mejor de las bendiciones mentales a su viejo amigo y había heredado a Laura Ramos.

—En teoría deberían ser diez vueltas, pero como te tengo aquí lo voy a dejar en ocho —dijo Laura jadeando, y se dejó caer al pie de la banca.

—Sólo tú te crees eso de que me vas a hacer el favor. Estás al borde del infarto. Fumas más que yo, vives en el DF, bebes cerveza Tecate como si fuera jugo de manzana y luego quieres ser sana. Lo único sensato de dar ocho vueltas, es que ningún violador se animaría; en general son una punta de güevones, les gustan las de tres vueltas nada más.

Laura le pidió con un gesto un cigarro, Héctor se lo pasó. Fumaron en silencio. Luego Laura comenzó a toser.

—¿Cómo sabes tanto de los violadores?

—Leo las crónicas de sociales de los diarios, y la primera plana, las inauguraciones de obras públicas... —contestó Héctor; luego, cambiando de tema preguntó—: ¿Él? ¿Quién era el chavo que murió anoche?

—Ella tenía 17 años, el tipo 19, nunca lo conocí, no sabía de su existencia. ¿Tú qué averiguaste?

—Poca cosa, lo que decían por ahí. Pacto suicida de dos adolescentes, él le disparó, ella murió primero, él se suicidó después. Ella: un tiro en el corazón; él: un tiro en la sien. Dos balas, dos cartuchos. Prueba de la parafina positiva en su mano derecha. Casa prestada. Dueña profesora de inglés del colegio de ambos, está de vacaciones en Houston o en algún lugar así donde venden *hot dogs*. Virginia no había tenido relaciones sexuales esa noche, ni antes... Ella era virgen. Estaban desnudos...

—¿Cómo sabes tanto? —preguntó Laura.

—Preguntando, sonsa —contestó Héctor—. ¿Quién no los dejaba ser novios o que tuvieran relaciones formales? Por eso son los pactos suicidas, ¿no?

Laura hizo un mohín, arrojó lejos el cigarro.

—Supongo que los padres de él. Pero es una tontería. ¿Conoces adolescentes que se suiciden porque no los dejan ser novios a los 17 años? Ella no era así.

—Nadie es así hasta que no se demuestra lo contrario. ¿Qué pasa, tienes alguna duda en serio o te ocurre lo que nos ocurre a todos ante el suicidio?

—Ésta es la tercera vez que Virginia me mandaba una cinta al programa, mensajes extraños, monólogos, mucha necrofilia, mucha desesperación de adolescente: contaba cosas como manifestaciones del CEU mezcladas con angustiosas peticiones para eliminar el acné, descripciones de los leones haciendo el amor en el zoológico mezcladas con lecturas de los sonetos de amor de Shakespeare. En ninguna de las anteriores apareció el nombre del novio. No sé... Conseguí una semana de sueldo para un detective por parte de la emisora, les gustó mucho la idea, se sintieron modernos. Síguele la historia, cuéntamela. ¿Quién era Virginia? ¿De veras se mató?

Héctor puso cara de no estar comprando ese billete de lotería ni aunque le garantizaran todos los premios gordos del mundo.

—¿Qué te pasa? ¿No te convenzo? No me digas que tienes mucho trabajo, de cuándo acá tienen...

—Tengo pendiente una historia de un amigo.

—¿Todavía haces favores?

Héctor asintió sonriendo.

—Hazme éste.

Héctor tardó en responder.

—Vi la cara de la muchacha... Ya muerta. No me molestan los pactos suicidas, que cada cual se vaya como quiera y cuando quiera... No sé, esa manía que tiene uno de pensar que ya no se quiere como antes, que ya nadie se pega un tiro por amor. Estaba sobre una cama tendida, toda cubierta por una sábana, menos el rostro. Era una escuincla muerta muy bella.

Laura apreció al detective objetivamente. "Ruinoso" podía ser la palabra para describir su apariencia. Pero nunca se sabía con Belascoarán.

—Mucho peor que el dueño de una emisora de radio es un detective romántico. Me consta que la niña era mucho más bella viva, no chingues —dijo Laura, tomándolo del brazo y apretando.

—¿Tienes las cintas que te mandó antes?

—Y la dirección de su casa, y una nota para su madre presentándote, y una carta de la emisora diciendo que trabajas para nosotros...

Sacó un paquete de su bolsa que había dejado en la banca al lado del detective y repartió los papelitos sobre el regazo de Héctor.

—¿Qué es lo que te mueve a ti? —preguntó Laura mirando fijamente al detective.

—No sé, supongo que una mezcla entre la inercia, la curiosidad, el salario mínimo... Últimamente ando muy raro. Cada vez entiendo menos a la gente. Mal del DF. Es como una mezcla de gripe y contaminación. Me he de andar volviendo viejo.

Héctor se puso de pie, caminó hasta la fuente y metió una mano dentro, el agua estaba calentona, pero fluía a través de los dedos. Laura, desde la banca, le guiñó el ojo al detective, era una despedida muy decente de su parte.

Más tarde, repasando la conversación con la locutora de radio, Héctor pensó que últimamente estaba muy extraño, absolutamente fuera de foco. Que ciertamente sus motivaciones eran una mezcla de la eterna e insaciable curiosidad, del dejarse ir en historias ajenas, de hacerse un oficio metiendo las narices en las historias de los demás; que además pagaban algunas veces por eso. Pero el asunto fallaba, porque con mayor frecuencia era un espectador que cada vez entendía menos a las personas; eso dejaba bien la primera parte de las historias, pero ayudaba poco a resolverlas. Probablemente no toda la culpa era suya. Probablemente, aunque a Laura se lo hubiera dicho en broma, era víctima de una de esas comunes enfermedades que asolaban en los últimos tiempos a la ciudad de México, y comenzaban a ser llamadas genéricamente mal chilango, lepra del DF, producida por catarros virales y aspiración frecuente de la mierda que había en el aire. Héctor meditó en una nueva posibilidad: estaba cerca de cumplir los 40 años, estaba envejeciendo. Pensaba en esas cosas, porque lentamente se diluían en su cabeza las motivaciones originales de justicia a como diera lugar y se iba depositando, como un sedimento solitario, la eterna dosis de curiosidad. Mal material: curiosidad sin ánimo de venganza justiciera.

Aún así entró a la arena, perdió media tarde haciendo preguntas sin respuesta. Luego se dio cuenta de que debió haber buscado en los lugares indicados, los directorios telefónicos, las biblias humanas ambulantes, las memorias históricas gremiales. Entonces fue directamente al personaje que tendría las respuestas. Encontró al "Encantos" en un pasillo. Estaba vestido de persona, sin la melena rosa y la máscara fluorescente con la que había actuado en los últimos años. Parecía mucho más pequeño, cubierto de cicatrices de viruela, chupado, viejecito, apacible. El primer luchador maricón del DF. Antes de que los homosexuales ganaran su derecho a la existencia pública por la vía de la calle y el artículo, el "Encantos" la había impuesto en las arenas a pura patada en los güevos.

—Cuéntame de Zamudio —pidió el detective.

—Primero se saluda, güey —dijo el "Encantos" tendiéndole una mano engarfiada. A sus espaldas se escuchaban los aullidos del público animando a unos preliminaristas.

—Muy buenas noches —dijo el detective apretándole la mano.

—La mera verdad —dijo el "Encantos" dándose por satisfecho—, nomás le decían el "Fantasma" a Zamudio cuando hizo pareja con el Ángel, por eso nadie le dice a usted de eso, porque usted lo confunde. Zamudio era el "Demonio" de Jalisco, y antes el "Rebelde Azul" y antes, pero eso nomás fue tantito, como dos meses que estuvo peleando en una arena chica allá en el Estado de México, se llamaba "El Greñas Mortal" Ese güey tuvo más nombres que yo.

—¿Y cuántos tuvo usted? —preguntó Héctor.

—Cinco y un apodo, pero el apodo no se lo puedo decir porque es una vil leperada. Los cinco eran: "El

Fino de Tecamachalco", "El Estilista Dorado", "El Arcángel San Grabiel"...

—Gabriel...

—No, "Grabiel". El Gabriel es el de a deveras. Y luego fui "El Perro de las Praderas", y ya al final cuando era yo mero...

—¿Y el "Fantasma Zamudio" que se llamaba también de otras maneras?, ¿qué pasó con él?

Un alarido particularmente fuerte atrajo la atención del viejo hacia el ring. Uno de los preliminaristas estaba sangrando.

—Ya le dieron en la madre a Crispín. Yo le dije. Por menso... Zamudio. No, el Zamudio desapareció en el 68, o en el 71, cuando lo de los estudiantes. Un día salió de una pelea que había tenido de pareja con el Ángel. Ahí sí, ahí les decían "Los Fantasmas". Salió y le dijo al *second*, "ahorita vuelvo mano, voy a ver una de esas manifestaciones de los estudiantes, que me dan mucho calor". Y ya no volvió nunca. Ni aquí, ni a ningún lado.

—¿Qué le pasó? —preguntó Héctor.

El viejo luchador no respondió porque se había quedado viendo el rostro del tal Crispín, que pasaba a su lado en una camilla. Extendiendo la mano con un gesto arrogante, paró a los camilleros. Héctor contempló el desastre que habían hecho con el tipo; el viejo, cariñoso, le sobó la cabeza.

—Te dije, Crispín, que no abrieras la boca cuando te echabas de tijera.

El herido balbuceó algo incomprensible. Los camilleros se lo llevaron.

Héctor, aunque casi casi le interesaba más lo de Crispín que su propia historia, volvió al ataque.

—¿Y qué pasó con el "Fantasma Zamudio"?

—Sepa su madre, se desvaneció, como los fantasmas. Vea usted, qué chistoso, se hizo fantasma el Zamudio... A lo mejor es que estaba muy enamorado. Eso pasa, ¿sabe?

—¿Cómo que estaba muy enamorado?

TRES

Los suspiros son aire y van al aire.
GUSTAVO ADOLFO BÉCQUER

—¿Y ESTABA MUY ENAMORADA?

—Para nada. ¿Virginia de ese sonso? —contestó la primera de las dos adolescentes buscando con la mirada confirmación en su amiga.

—Ni lo conocía bien. Seguro el menso la mató porque quería violarla o algo así y ella no se dejó. El pacto suicida... Ay, qué babosadas dicen los periódicos —dijo su amiga dándole una segunda revisión al detective.

Héctor las había encontrado invirtiendo un rato en hacer preguntas en la puerta de la Preparatoria Seis de Coyoacán. Las minifaldas de las dos adolescentes lo ponían nervioso, pero aguantó la estampa y trató de reforzar la apariencia paternal.

—Virginia sólo se enamoraba de los que salen en las novelas, de los de los poemas, estaba enamorada de Bécquer y de Mario Benedetti; se sabía de memoria el poema ese de: "Si te quiero es porque sos mi amor, mi cómplice y todo..."

El chicharronero se aproximó a la conversación empujando su carrito. Deberían estar acercándose a la hora de salida, porque el torrente de prófugos de la educación media universitaria hacia la calle comenzaba a acentuarse.

—¿Y a ustedes no les caía bien?

—Aquí pasa todo tan rápido. A mí nomás me dio miedo. Nosotras no éramos sus amigas —contestó una de las muchachas, la que a cada rato se mojaba los labios con la lengua.

—¿Y quién era su mejor amiga?

—Pregúntale a la Lolis, que anda por ahí tocando la flauta. Pero yo creo que no tenía mejor amiga. Andaba sola por los pasillos recitando ésa de Bécquer que nos leyó el maestro de literatura: "Los suspiros son aire y van al aire / las lágrimas son agua y van al mar / Dime, mujer, cuando el amor se olvida / ¿Sabes tú a dónde va?" Yo me la aprendí de tanto oírsela.

—A mí la que me gustaba era la parte del final de la de las golondrinas —dijo el chicharronero metiendo la nariz en la conversación—, la que dice: "Volverán del amor en tus oídos / las palabras ardientes a sonar / tu corazón de su profundo sueño / tal vez despertará..."

Héctor sorprendido se rascó la cabeza con ese gesto muy suyo, aprendido de las películas de Stan Laurel. Luego le dedicó una mejor mirada al personaje.

—¿Y usted cómo se la sabe?

—La señorita me la enseñó completa, ¿quiere que se la recite?: "Volverán las oscuras golondrinas / en tu balcón sus nidos a colgar..."

—No, ésa me la sé... Y qué, ¿cuándo lo estudiaban a Bécquer?

—Ella me lo enseñaba al salir de las clases. Nos lo echamos rápido, como en tres días. Ella me dijo: "Si usted va a estar vendiendo chicharrones a la puerta de una prepa, pues hay que aprender, ¿no?"

—¿Y conoció usted al novio, el que murió con ella?

—No era el novio, era un chavito que le estaba echando los perros, pero ella no le hacía mucho caso. Ése era un pendejo. Una vez le quiso dar un aventón a la señorita, venía con su papá, y ella los mandó a la chingada. Usted créame a mí, que aquí lo veo todo y lo sé todo, no le crea a los periódicos, que ésos nomás engañan.

Héctor caminó el pasillo de su casa quitándose la pistola que llevaba en una funda sobaquera y fue a dejarla dentro del refrigerador. Era el mejor lugar. Aprovechando el viaje, tomó una cocacola y dos huevos. Paseó por la casa con el refresco y los huevos en las manos. En el suelo de la recámara tenía el álbum de fotos, abierto en donde se podían ver los dos "Fantasmas". Comenzó a repasar las páginas. No había fotos de mujeres, sólo de luchadores y lucha libre. Caídas, sangre, escenarios pueblerinos, grandes arenas, plazas de toros, ceñidos y dorados cinturones de campeones nacionales, máscaras y cabelleras arrancadas, abrazos, poses publicitarias, comidas, rings, patadas voladoras, vendas, brazos fracturados, trabajo.

La historia comenzaba a cautivarlo, mientras cada vez se alejaba más de él la muerte de su viejo amigo. Era una historia de fantasmas y tenía el encanto de lo rancio, de las viejas pasiones; de las viejas y roñosas pasiones. Una historia de amor y de fantasmas. De una mujer inexistente que venía del pasado. En el álbum no había fotos de la mujer de la que los dos fantasmas se habían enamorado. Héctor titubeó. Quizá es que estuviera entrando en la historia por el lado equivocado.

Quizá era una historia que nada tenía que ver con los amores. Si era así, se había estropeado todo, porque lo que le resultaba atractivo era perseguir esa sombra de amor que mataba. Y esto quizá porque uno no estaba a salvo de los únicos amores de verdad, esos maravillosos amores asesinos.

Giró la cabeza para contemplar las fotos de la mujer que adornaban todo el cuarto. Cada cual era propietario de sus fantasmas. Fantasmas que mataban. Los únicos fantasmas dignos de ser tomados en cuenta.

Un ataque de moralina lo hizo regresar al origen de todo: el Ángel había sido su amigo, ahora era un amigo asesinado y eso fabricaba una deuda. Se descubrió con los huevos en la mano y caminó hacia la cocina. Antes de caer en el álbum como quien se mete de cabeza en un pozo, se había pasado la mañana con las viejas cintas de una adolescente enamorada de sombras. En las cintas de Virginia no había huellas del muchacho que había muerto en el mismo cuarto que ella. Quizá es que Héctor estaba entrando en las dos historias por el lado equivocado. Virginia podría haber sido la mujer fantasma de los dos luchadores, la mujer fantasma podría ser una adolescente reencarnada buscando un amor imposible y suicidándose con un pendejete. Lo de pendejete, a juicio de los chicharroneros, que son los mejores observadores del alma humana y que sin cometer errores podrían oficiar como ayudantes de San Pedro en la puerta del cielo. Chicharroneros al margen, Héctor Belascoarán Shayne se estaba fabricando nuevas deudas con la vida y con los difuntos. ¿Le hubiera gustado a Virginia la lucha libre? ¿Qué hubiera pensado el Ángel de las poesías de Gustavo Adolfo Bécquer? Si quería respuestas iba a tener que buscarlas allá afuera, igual que siempre, en una ciudad que a veces era suya; pero en la que la mayoría de las veces se estaba sintiendo, él también, un fantasma sin amores propios a los que apelar.

Un hombre lavaba un carro en la puerta, una mujer barría el zaguán, un detective privado sui géneris interrogaba a la mujer.

—Entonces, él sí venía seguido, pero ella era la primera vez... —resumió Héctor a la mujer que barría enfrente del número 121 de la calle Rébsamen, una mujer cuya voz había escuchado en una cinta.

—Eso mero. Él venía seguido, con amigos, porque la profesora le prestaba el departamento cuando no estaba, pero a la niña yo no la había visto nunca; nomás después de muerta, por la ventana, ¿sabe?

Doña Amalia era una mujer robusta, musculosa, que enarbolaba la escoba con fuerza. El hombre que lavaba el coche se había acercado para oír la conversación. Héctor esperó para ver si se animaba a intervenir, pero el tipo siguió en lo suyo, sacándole brillo a la parte que más brillo tenía ya. Héctor se rindió y volvió a prestarle su atención a la mujer.

—¿Y el taxista?

—¿Cuál taxista?—preguntó doña Amalia.

—El taxista que llevó la cinta a la estación de radio.

—Ah, ése —dijo la mujer alzando los hombros, como si esa historia no fuera parte de la historia y por lo tanto ningún pinche detective podría meterse en ella.

Carlos Vargas, el tapicero, contempló a Héctor, con aire misterioso, sentado en una de sus obras de arte. El detective estaba leyendo con gran meticulosidad unas hojas sacadas de un fólder.

—¿Sabe usted cuándo salen mejor los abullonados esos que se le ponen en el centro a los sofás? —preguntó el tapicero.

—¿Sabe usted cuánto vale un informe del forense? —repreguntó el detective.

—Cuando está uno entre la sexta y la séptima cerveza —insistió Carlos.

—Diez mil pesos en fotocopia garantizada —informó Héctor.

—Yo debería ser detective —dijo el tapicero.

—Y yo, tapicero —respondió el detective—. ¿Ya vio qué bien clavo las tachuelas?

—Pero todavía no sabe ponérselas en la boca y sacarlas con el martillo; mientras no le salga eso, no será artista.

—¿Quiere dedicarse a la detectiviada un rato? —preguntó Héctor de repente.

—Se lo cambio por enseñarle cómo tener las tachuelas en la boca. Es fácil —contestó el tapicero.

Carlos Vargas pasó a los hechos. Se metió un puñado de tachuelas en la boca y las fue tomando con la punta imantada fijándolas a la tela y usando para clavarlas la parte posterior, la bola del martillo. La tela iba quedando adherida a la madera y las formas aparecían. Era como devolver a la vida un esqueleto. Héctor lo observó maravillado.

—Jamás de los jamases me va a salir bien —dijo después de un rato.

—¿Y entonces no vale el trato? ¿Usted no sirve para tapicero, y yo no puedo probar de detective?

—No, aquí el pendejo soy yo —confesó Héctor.

—¿Y yo qué hago?

—Usted tiene que ir a esta dirección —le dijo pasándole un papelito— y ofrecer sus servicios. A ver cómo le hace para entrar en esa casa. Quiero saber cómo es, quién vive en ella, qué tipo de gente. Se acaba de morir el sobrino del dueño, deben estar mosqueados, pero cuento con sus habilidades ya demostradas para transarse a cualquiera, para que averigüe todo lo que pueda. Nomás váyase con cuidado, porque no es su territorio, es una casa en las Lomas, el puro territorio enemigo.

—Tierra de hamburgueses —dijo Carlos reflexionando.

—Eso.

—¿Y qué, cómo está el negocio?

Héctor lo pensó un instante antes de contestar:

—Si usted supera esta tarea sin destruirse y sin meter la pata, asciende de categoría, a doble A.

—¿Y no me va a dar mi placa de sheriff?

—Ésa es triple A, de cuando uno es sheriff democrático y con probados servicios prestados.

Héctor miró nuevamente el rostro cargado de tensión de la mujer que gritaba. La había estado contemplando durante un buen rato. Puede ser que en el ring todo fuera farsa, pero aquí abajo, la broma terminaba, las cosas se volvían de vida o muerte; la mujer estaba escupiendo lo peor de sí misma en cada alarido.

—¡Mátalo, línchalo, puto!

Era una mujer de unos 50 años, que aún conservaba cierta belleza ajada aunque cubierta por excesivo maquillaje. Héctor se decidió y avanzó por el pasillo hasta sentarse a su lado. La arena estaba semillena, sobre las cabezas y hasta el techo flotaba el humo de los cigarros.

—Me dijeron que usted me podría ayudar.

La mujer le dirigió una mirada turbia, sin hacerle demasiado caso; hace años, muchos hombres le hablaban sin que ella los invitara a hacerlo, conservaba el instinto del rechazo. Volvió a contemplar lo que sucedía en el ring.

—¡Mátalo, idiota! ¡Chíngalo, marrano!

Héctor insistió.

—Me dijeron que usted conoció a la mujer de la que estaban enamorados "Los Fantasmas".

La mujer lo miró, como si no lo hubiera oído.

—Era mi hermana, Celia —dijo de repente.

—¿Era?

—Se suicidó hace como quince años, joven. Por culpa de esos dos culeros. ¡Rómpele el brazo, Enrique!

—¿Qué fue lo que le pasó?

—Dos cervezas...

—¿Qué? —preguntó Héctor desconcertado.

—Que me pague dos cervezas y se lo cuento —respondió la mujer.

Héctor hizo un gesto al cubetero, éste reaccionó despacio, tenía la vista en el combate. Sirvió dos cervezas. La mujer no las bebió, sino que las puso a su lado y continuó vigilando atentamente lo que sucedía en el ring.

Luego empezó a hablar, sin dejar de mirar el cuadrilátero, como si la historia no tuviera la más mínima importancia. Como si fuera de otra época, de otro mundo. Y el espacio para el odio no estaba allá atrás, sino aquí enfrente.

—Decían que estaban los dos enamorados de ella, y un día uno y un día el otro, y flores y todo le llevaban, y un día el uno y un día el otro, pero ella decía que no, porque le daba pena que uno sí y el otro no, y que se fuera a separar la pareja. En esa época estuvieron a punto de ganar el cinturón mundial, el Ángel y Zamudio. Y ellos atrás de ella, como un juego a ver quién ganaba, porque como no se podían pelear uno con el otro, pues andaban peleando por Celia, y ganó el Ángel, pero nomás por un día, y luego la botó, al rato la Celia se tragó una caja de esas pastillas matarratas. Era muy sentimental la muy sonsa, yo no soy así, a mí me gusta la cerveza. Y ni siquiera se conservó la pareja, porque Zamudio casi mata al Ángel a golpes, de box, no en lucha limpia, y luego hasta se separaron.

Había contado la historia. Tomó uno de los vasos de cerveza y se la bebió de un solo trago. Héctor la estudió. Ella siguió con la vista clavada en el ring, sin embargo el round había terminado. Ya no era la misma. Se había quedado en silencio. No gritaba. La tristeza que venía del pasado la había penetrado contagiando al detective, quien lentamente se levantó y comenzó a caminar hacia la salida. A mitad del camino algo cruzó por su cabeza y regresó.

—¿Tiene una foto de ella?

—Sí, llévesela, por otras dos cervezas se la lleva, yo ya no la quiero ver más. Ya la vi mucho. Noches enteras viéndola a Celia.

Héctor hizo una seña al cubetero, que volvió con otras dos cervezas. La mujer sacó de su enorme bolsa una foto que tenía los bordes ondulados, con ese recorte que había desaparecido de las fotos hace años. Se la tendió con un gesto suave, casi cariñoso; puso sus cervezas junto a la anterior que no había tomado. Héctor contempló la foto: una mujer muy bella, peinada a la moda de los años cincuenta, con un traje sastre de dos piezas y chalequito, sonreía tomada de los brazos de dos luchadores fornidos; en su mano izquierda traía un ramito de flores que se veían ahora, al paso del tiempo, medio mustias.

Héctor se detuvo en una zona de luz para encender un cigarro. Últimamente, los Delicados le estaban sabiendo a mierda de caballo. Como los Marlboro, que por eso le deberían gustar tanto a los caballos, a juzgar por los anuncios de televisión. Comenzó a caminar entre dulceros y puesteros, alejándose de la arena. El tráfico hacia el sur arreciaba por la avenida Revolución. Si no fuera porque no podía dejar de fumar, bien podría dejar de fumar.

De repente, chocó de frente contra un hombre corpulento que lo arrojó hacia un lado. No se había repuesto de la sorpresa y trataba de ver mejor a su agresor, cuando un segundo personaje se acercó para ayudar al detective a levantarse, pero en lugar de eso lo lanzó al suelo.

—¿Qué traes, baboso, por qué me empujas? —preguntó el primero, sin duda el más corpulento de los dos.

—Quiere pleito —le informó el segundo a su amigo, levantando la voz para que todo el mundo lo oyera—. A mí también me empujó.

Héctor, desde el suelo, se sonrió.

El primero de los dos hombres, un tipo al que le quedaba mal el traje y enseñaba bajo el chaleco unos buenos centímetros de barriga enfundada en una camiseta lila, sacó una navaja. Héctor contempló fascinado el metal, que comenzó a girar lentamente en pequeños círculos siguiendo los movimientos de la muñeca del hombre. El segundo hombre le cubrió la espalda a su compañero manteniendo a raya a puesteros y mirones.

Héctor retrocedió en el suelo arrastrándose sobre las manos y sin dejar de sonreír. Una sonrisa triste, en la que no había reto. El tipo de la navaja avanzó. Héctor sacó la pistola y cortó cartucho en un movimiento lento pero continuo. El tipo se detuvo. En la multitud que se había juntado se inició un murmullo.

—Te vas a tener que conformar con pasarme el mensaje; pero no va a haber un agujero de recuerdo, mano —dijo el detective sin abandonar la triste sonrisa.

El tipo tiró al suelo la navaja y salió corriendo. Una señora, propietaria de un puesto de dulces, le dio al pasar un codazo que lo hizo zarandearse. Su compinche se perdió en la multitud. Héctor guardó la pistola.

Se dirigió hacia la mujer. Los curiosos lo siguieron con la vista.

—Muchas gracias, seño —dijo sacudiéndose la tierra de los pantalones.

—Pa' que se les quite lo abusivo...

—¿Los conocía? —preguntó Héctor.

—No, no son de aquí; pero son iguales que otros —dijo la vieja con una amplia sonrisa desdentada.

CUATRO

> Yo creo que nadie se muere mientras sepa
> que alguien lo está queriendo.
>
> EMILIO SURÍ

—¿QUIERES PARA TU PROGRAMA un chicharronero que recita a Gustavo Adolfo Bécquer? —preguntó Héctor.

—¿Cuál se sabe? —contestó Laura Ramos protegiendo el micrófono con una de sus manos, como si las locuras del detective lo hicieran peligrar.

—"Volverán las oscuras golondrinas", completa.

—No, ésa ya la vino a recitar el otro día el director de Abastos del DDF, ya está muy vista.

Interrumpió a Héctor con un gesto y le sonrió al micrófono antes de hablarle:

—Y de nuevo con ustedes después de estos mensajes, en *La hora de los solitarios.*

A una señal a los de la cabina, el tema musical del programa entró al aire. Héctor encendió un cigarro, Laura se lo quitó de la mano y le dio un voraz toque.

—Y ahora una canción de amor de Ornella Vanoni, Toquinho y Vinicius de Moraes, para desentumecer las mejores sensaciones...

Sin mirar para el tablero, cambió el *switch* con un golpe de sus dedos. Luego giró hacia Héctor:

—¿Qué averiguaste?

—Que tenías razón, no era su novio. Era un adolescente que había tratado de conquistarla, pero no la conocía bien, no habían tenido relaciones. ¿De dónde sacaste que los padres de él no querían que fueran novios? No hay tales padres, el chavo vivía en casa de un tío soltero, que era el que le pagaba los estudios... Nunca antes habían estado juntos en la casa donde murieron.

Ornella Vanoni contaba una historia con ritmo portugués pero en idioma italiano, sobre un semáforo en rojo. Héctor trató de concentrarse en lo que había averiguado en sus primeros asomos al suicidio de Virginia.

—No, tienes razón. Aquí hay otra cosa. Nadie se suicida en un pacto amoroso con alguien que no le interesa...

—¿Puedo contarlo al aire?

—Puedes dejar caer la duda, y dile a los que los conocieron que se comuniquen contigo y que te cuenten sus historias.

Ella lo pensó mientras le robaba de nuevo el cigarro. El detective se dedicó a contemplar las piernas de la conductora de *La hora de los solitarios.* Eran unas piernas francamente acompañadas.

Héctor dejó la pistola en el interior del refri, sacó un refresco y caminó hasta su cuarto. Se sentó en la cama, le dolían las articulaciones. Buscó una aspirina en el baño y se la tomó con cocacola. Bueno, las fotos estaban allí. No se habían ido a ningún lado. En un televisor con excesivo volumen que tenía su base de operaciones en alguno de los departamentos cercanos, un noticiero narraba el desastre que la lluvia había producido en el tráfico de la ciudad, en particular en el Periférico sur.

Bueno, las fotos seguían allí. Las contempló. Las interminables fotos de la muchacha de la cola de caballo que estaban colgadas en las paredes. Se quedó ahí, clavado a ellas. Sin poderse mover. Las fue recorriendo con la vista. Rompió el embrujo golpeándose la palma de la mano con el puño de la otra. El gesto aprendido del Ángel II. Caminó hacia la ventana, encendió un cigarro, observó el exterior distraído. De repente se fijó en un personaje acodado en el farol de la esquina, era el pistolero que lo tiró al suelo al salir de la arena de lucha libre. El número dos del equipo, el que no le había enseñado la navaja. El tipo miraba hacia un coche. Luego, levantó la cabeza buscando la ventana de Héctor, no se sorprendió al encontrarlo en ella. Se miraron, el tipo envió una amplia sonrisa hacia el detective. Héctor se la devolvió.

En el automóvil estacionado estaba el segundo hombre. Vio algo resplandecer en la noche. El ojo sano del detective tardó en encontrar las pequeñas señales, los brillos que identificaban el objeto, al fin lo hizo. El tipo del coche tenía una pistola entre las piernas.

Héctor levantó la vista buscando el paisaje de luces de la ciudad nocturna, las manchas de luz, el árbol de Navidad triste. En otros tiempos, cuando Héctor Belascoarán era un tipo más despistado, pero también lleno de más inocentes confianzas, le gustaba quedarse así, embebido por las luces de la ciudad, pensando que eran el único festival de fuegos artificiales colectivo y gratuito que teníamos los habitantes del monstruo. Últimamente, le parecían luces de velorio, veladoras encendidas por los que se iban quedando a mitad del viaje, muertos de navajada, de tiro de escopeta por la espalda, de tortura, de mal de amores, de desempleo, de miedo vil. La más común de las causas de defunción en el DF, según un difunto amigo suyo escritor. Bien, tenía toda la noche para pensarlo, o podía ir por ellos...

Quedó inmóvil durante un instante, luego repentinamente se decidió, y un tanto a desgana caminó hasta el refrigerador y sacó su 45. Checó el peine, pasó la primera bala a la recámara, llegó hasta el dormitorio y recogió una chamarra. Cuando estaba a punto de salir regresó y rebuscó con paciencia en uno de los cajones del clóset, tomó un paliacate guinda y se lo amarró al cuello. Uniformándose para la guerra, obviamente. Cuando cruzaba la puerta se rió de sí mismo.

Descendió las escaleras de su casa a paso rápido. Al llegar al descansillo del piso inferior se encontró con la puerta abierta de la casa del Mago. Su casero estaba jugando dominó con dos de sus compinches, el de la tienda de abarrotes y el tintorero.

—Detective insigne, ya nos salvó —dijo el Mago frotándose las manos.

—¿Y qué hacen jugando con la puerta abierta?

—Esperando al que nos haga el cuarto para el dominó.

—¿Se va a hacer rogar?—preguntó el tintorero.

—Caray, no me agarran ustedes en el mejor momento... —respondió Héctor dudando—. Tenía un pendiente allá abajo.

—Le sacas. Está claro, después de la paliza de la última vez, donde quedó demostrado que los detectives no tienen pensamiento científico, le sacas.

Héctor titubeó.

—Es que hay unos tipos ahí abajo que... No, olvídenlo, está demasiado complicado de explicar. Voy y vuelvo. Si no regreso en quince minutos, búsquense otro para hacer de cuarto.

Los jugadores protestaron, pero Héctor ya estaba bajando las escaleras a saltitos, rehuyendo la discusión.

Cubierto por una columna tras la puerta de cristal, observó cómo los dos pistoleros conferenciaban en el auto. Los movimientos del detective se sucedieron en un riguroso orden: sacó la pistola, se la llevó a un lado del rostro, se quitó con el metal una gota de sudor que le resbalaba por la sien. Comenzó a contar en voz alta.

—Uno... dos... tres... cuatro borreguitos... cinco borreguitos... seis borreguitos...

Todavía se estaba riendo cuando brincó hacia la calle.

Los dos tipos reaccionaron al ver saltar a Héctor desde la puerta de su casa armado con una pistola. El de afuera del coche disparó sobre el detective, astillando y haciendo pedazos la puerta de cristal a sus espaldas. Héctor levantó la 45 y apuntó. El tipo asustado tiró la pistola al suelo. El otro arrancó el coche y aceleró, ruido de llantas quemándose y todo; su compañero, que lentamente comenzaba a levantar los brazos, se sintió vilmente traicionado.

—¡No me dejes, Lavanderos! ¡No seas coyooón! ¡Culero!

Su grito se fue perdiendo en la noche. Héctor siguió con la vista la desaparición del coche. Luego se acercó lentamente, recogió la pistola del suelo y se la echó en el bolsillo de la chamarra.

—Buenas noches... —dijo el detective.

Miró al pistolero durante unos segundos, después se dio la vuelta dejándolo sorprendido. Los tres jugadores de dominó, armados con los más extraños utensilios, cuchillo de cocina, martillo, navajita suiza, estaban a su lado.

—¿Sabe qué? En dos años van tres veces que le dan en la madre a la puerta esta —dijo el Mago—. La voy a cambiar por una de rejas, de ésas tan bonitas, de Zacatecas; esas que las balas le pasan por los hoyitos.

—¿Qué? ¿Le hacemos algo a este pendejo? —preguntó el tintorero mirando con su mejor cara de sádico al hombre parado en la banqueta.

Héctor negó. Le dijo al Mago:

—Si quiere que le paguen la puerta, ahí tiene al culpable.

Señaló con la cabeza al pistolero que estaba aún con los brazos en alto, probablemente encomendando su alma a la virgencita de Guadalupe, de la que no se había acordado un carajo en estos últimos años.

—¿Le damos una interrogada con martillo? —sugirió el Mago.

—Éste no es el que busco, éste sólo sabe que lo contrataron para asustarme... —respondió Héctor—. La verdad, me da flojera.

El pistolero dijo que sí con la cabeza, que a él también le daba flojera.

Comenzaron a encenderse las luces de algunos departamentos, poco a poco. La calle se iluminó.

—Mejor déjeme la pistola, en esta ciudad ya no se sabe qué puede pasar —le propuso el Mago al detective.

Héctor se la pasó. Aprovechando que nadie lo miraba, el pistolero salió corriendo. Era la segunda vez que Héctor lo veía correr. No debería ganar un sueldo muy alto.

—A lo mejor jugaba dominó mejor que yo —sugirió el detective, viéndolo desvanecerse.

—Vamos de compañeros, joven Belascoarán, usted tiene estilo suicida. Lo que a mí me gusta a la hora de cerrar con la de seises en la mano —dijo el tintorero.

CINCO

> Si la respuesta es sí, hay tres fantasmas a los que cada uno tiene que enfrentar de cuando en cuando. En la oscuridad.
>
> JOSEPH WAMBAUGH

A LO MEJOR LO MATAN A UNO, le quitan la vida y se la llevan por ahí, a pasearla por otros rumbos. Pero a lo mejor uno es el que mata y al principio se siente casi igual que si hubiera sido de la otra manera. Hay continuos efectos de espejo en estas historias graves en las que vida y muerte andan jugando. Luego no es así; luego llega el descenso de adrenalina y uno descubre que tiene la suerte de estar vivo. Y entonces nada de que es igual, uno se gusta, se desea a sí mismo en el terreno de los vivos, los que juegan al fútbol, bailan al ritmo de Rubén Blades y Son del Solar, van a las manifestaciones al lado de Superbarrio y leen novelas de Howard Fast. Esos momentos, los de saberse vivo, hacen olvidar los otros, los de la culpa.

Héctor estaba jugando con su pistola, recordando el tiro que había roto la puerta de su casa y se sentía vivo, asquerosamente vivo.

—¿Durmió muy-muy mal? —le preguntó de repente el tapicero al verlo bostezar.

—Tranquilo, no me pasa nada, es por culpa del dominó.

—Ah, bueno —dijo Carlos Vargas.

Pero no quedó muy convencido. Con los otros compañeros de despacho perdidos en extrañas vacaciones, él se sentía responsable del detective y a veces, a gusto de Héctor, adoptaba un tono maternal excesivo. No era mala idea tener a un tapicero de madre, pero no más de cinco minutos diarios.

—¿Y qué sacó de sus lucimientos de detective?

—Todo, jefe. Usted nomás diga qué quiere saber.

—¿Existe una casa? —preguntó el detective—. ¿Quién vive en ella? ¿A qué se dedica? ¿Quién era el joven que murió? Todo. Empiece por ahí y siga.

Carlos Vargas extrajo de su mochila de tapicero un gran cuaderno de pastas duras; parecía un libro de contabilidad. Leyó con dificultad su galimatías de notas, a veces girando el cuaderno para voltearlo.

—El primer misterio: el dueño de la casa y tío del joven muerto se llama Elías Márquez y dice que es industrial. Pero no de la industria, se dedica al tráfico de blancas, prietas, güeras, mulatas y negras. Es lenón, como las poquianchis, jefe. Eso seguro. Ahí mismo en la casa, de vez en cuando, da servicio a los amigos. No a los nuestros, a los de él.

—¿Ése es todo el misterio?

—Ahí empieza. Segundo misterio: le vale sombrilla que se le haya muerto el sobrino. Ni luto por él hizo, ni fue al panteón. Al día siguiente muy feliz, ahí estaba desayunando chilaquiles, todo crudo.

—¿Y el sobrino?

—Era un payasito. El hijo de la hermana. Ahí lo tenía de arrimado. Era de carro a los 18 años, totalmente pirrurris el menso y se me hace que trabajaba en la probada de la mercancía del tío. ¿Usted sabe cómo le decían al sobrino?

Héctor hizo un gesto de interrogación alzando la cabeza.

—Se llamaba Manuel y le decían Manolé. No Manolete, ni Manolo, Manolé. De dar pena —dijo el tapicero, pensando cómo en medio de la crisis, el ascenso de los más culeros hijos de las clases medias al poder le estaba dando en la madre a este país.

—¿Y qué se dice por ahí del suicidio?

—De eso no se dice nada. ¿Cuál suicidio? Un día estaba y al otro no. Bien raro. Como si se hubiera ido de vacaciones a Tlaxcala, o a la verga. Digo, de vacaciones a La Verga, Tabasco.

—Informe usted con precisión, carajo. ¿Y la casa? ¿Mucho guarura en la casa?

—¿Guaruras...?, deje ver… Un portero que no es portero, un chofer que no es chofer, dos guaruras que sí son guaruras.

Héctor dio por concluida la conversación, encendió un cigarro y fue hacia la ventana. Carlos, molesto, lo observó hacer, le quedaban cosas en el cuaderno.

—¿No me va a preguntar más? —preguntó después de un rato el tapicero.

—¿Qué le pregunto?

—¿Cómo se entra? ¿Dónde tiene los negocios el señor Márquez? ¿Por qué no estaba el coche del sobrino en la calle, enfrente de la casa donde los mataron?

Héctor miró a su accidental ayudante sorprendido. Si las cosas seguían así más le valía dedicarse él a la tapicería y dejarle al otro el negocio.

—Es usted un genio.

—¿Verdad? Yo decía. Vargas, eres mucha verga. Vargas, sirves para todo. Vargas, tú sí la haces, no el pinche Belascoarán que es ojo.

Se contoneó muy orgulloso como llevando el ritmo del himno nacional.

—A ver, ¿cómo se entra? ¿Dónde tiene los negocios el señor Márquez? —preguntó el detective.

—Sepa... Tengo un mapa de la casa, si le sirve.

El tapicero intentó pasarle el cuaderno, pero Belascoarán lo rechazó.

—Ya se me hacía raro que usted supiera tanto.

—Bastante, sé bastante. Cuando estaba hablando con la sirvienta, me dijo: ése es el coche del difunto, y señaló enfrente de la casa; y se me ocurrió preguntarle que si lo habían traído de la "escena del crimen" y que si no necesitaba una nueva tapizada para quitarle la sangre, y me dijo que se habían matado arriba de una cama, encuerados, y que el coche ni lo había sacado ese día, que desde el día antes estaba bien tranquilo tragando polvo, de manera que no necesitaba tapizada...

—¡Entonces, no usaron el coche, o fueron caminando o alguien los llevó!

—Eso mero.

Héctor le estampó un sonoro beso en la frente al tapicero, que huyó a buscar alcohol en el botiquín. Mientras Héctor guardaba la pistola en su funda, el tapicero regresó desinfectándose el lugar donde había sido besado y haciendo caras de asco.

Héctor estaba contemplando la lluvia en la ventana. Necesitaba un refresco pero no se atrevía a pedírselo a la mujer. Llovía a cántaros. A su espalda, la voz de la madre de Virginia contaba con voz monótona:

—Es como una pesadilla. Virginia nunca se hubiera suicidado... Lo que dicen los periódicos del pacto suicida, eso no es cierto. Si no estaba enamorada de ese muchacho. Me lo hubiera dicho.

Las mujeres no se parecían. Héctor había intentado buscar al principio de la entrevista los rasgos de la adolescente muerta en la madre viva. No lo había logrado y se había concentrado en la lluvia.

—¿Se lo hubiera dicho? ¿Por qué? ¿Por qué se lo habría dicho?, ¿porque usted era su madre? Esas cosas no se dicen a los padres.

—¿Y usted qué sabe de eso? Virginia me contaba muchas cosas, hablábamos. No estaba enamorada. Quería escribir. ¿Sabe qué estaba leyendo? A Simone de Beauvoir. Decía que quería ser así siempre, independiente. Solitaria. Ni pleitos, ni angustias, ni llantos, ni nada... No pasó nada en este último mes. Es mentira. Virginia no se mató. La mataron, y no entiendo por qué. No sé por qué dicen que hubo un pacto suicida. Ni salía con ese muchacho. Yo a ese muchacho sólo lo vi una vez. Conozco a los amigos que salían con Virginia. Venían por aquí. Platicaban. Además no era uno, eran varios. No tenía ningún novio... La mataron.

La mujer inició un llanto mezclado con toses y pequeños espasmos, como si se estuviera ahogando. Héctor dejó de ver la lluvia y la miró. Luego volvió a la ventana.

—Y la cinta esa que están pasando en la radio, ni era la última, ésa era vieja, la había grabado el mes pasado; yo la había oído en casa. Y no era de suicidio, era de despedida, porque ya no iba a mandar más cosas al programa. La última debe ser otra, una que grabó el día anterior.

—¿La tiene usted?

La mujer caminó hacia el interior de la casa, Héctor la siguió, entraron al cuarto de Virginia, aún muy juvenil, con muchos más libros que lo habitual. La foto de la muchacha contempló a los intrusos desde la pared. Héctor recordó otras fotografías, en otras paredes. Sobre la cama una grabadora portátil. Estaba abierta, no tenía cinta. Héctor la miró, la mujer lo miró a él como disculpándose, quién sabe dónde estaría la cinta.

Días después, meses más tarde, recordaría la lluvia de aquella tarde. Gotas gruesas, panzonas, que hacían "plof" al reventar contra la ventana, que doblaban las hojas de los árboles, que se estrellaban contra los cristales chorreando por los bordes. Recordaría la lluvia, pero había borrado de la memoria el rostro de la madre de Virginia.

La cara de Celia, la mujer rodeada por los dos luchadores en la foto, estaba ahora entre ambos. Héctor empujó sobre la mesa de su despacho la vieja fotografía hacia el joven Ángel II.

—¿La conocías?

—No. ¿Quién es? —preguntó el luchador.

—¿Y al que está a la izquierda de la mujer, del lado contrario a tu padre?

—Ha de ser el "Fantasma" Zamudio. Por ahí vi alguna foto de él, aunque no lo conocí en persona.

Hacía calor, bochorno. Se habían encontrado en la entrada de la prepa donde el Ángel daba clases, previa cita telefónica. Héctor había dudado si dedicarse al oficio de preguntar o ponerse a pintar bardas con unos tercos activistas del CEU que derrochaban las tres virtudes teologales: fe, esperanza y caridad, a unos metros de allí.

—¿Nunca te habló de ella?, su nombre era Celia.

—¿A poco es la mamá de Celina?

Héctor se interesó de repente. La mujer parecía querer dejar de ser una fotografía.

—¿Quién es Celina?

—Una ahijada de mi papá. La veíamos seguido. Vive con sus abuelos. Hoy tengo que ir a su fiesta, se lo prometí, y vestido de luchador. Vaya mensada.

—¿Fiesta de qué?

—Fiesta de 15 años.

Las fiestas de 15 años ventilan con su ritual algunas de las más grandes derrotas populares de México. Son la prueba de que queremos ser como los otros. Que hemos aceptado los restos del banquete. Por una escalera de utilería bajan las quinceañeras en medio de nubes de hielo seco. Toda la pompa que oculta la falta de recursos económicos está presente: jarrones con gladiolas, la mitad de plástico, abanicos aunque sea en febrero, sí, pero también mesas con el logo de la cerveza Carta Blanca cubiertas por manteles medio sucios.

Una orquesta tocaba la Marcha Triunfal de *Aída*. Héctor contempló curioso los rostros de las adolescentes peinadas en salones de belleza por sus peores enemigas. Buscó entre las caras radiantes una que fuera parecida a la de la foto de Celia. No tardó en encontrarla y la siguió con la mirada sin perderla, mientras se tomaba un refresco con el Ángel enmascarado en una esquina del salón, donde se había organizado una pequeña barra.

—Me dan vómito las fiestas de 15 años. Todo es mentira —dijo el Ángel II haciendo una mueca a través de la máscara.

—A mí me encantan —contestó Héctor—, de tradición ya nomás nos queda esto y los informes presidenciales.

La marcha seguía sonando, las adolescentes, vestidas con vaporosos tules blancos y azulosos descendían por la escalera de utilería como sacadas de una mala imitación de película de Visconti. El Ángel se vio obligado a abandonar su lugar junto a la barra para recibir muy ceremoniosamente, dándole el brazo, a la muchacha que Belascoarán había seleccionado con la vista unos minutos antes. El parecido de la Celina real con la Celia de la foto era notable. Abundante hielo seco producía espesas nubes de humo blanco al ser echado en cubetas de agua por abnegados camareros que hacían de técnicos en efectos especiales. El volumen en las botellas de brandy sobre las mesas iba bajando ante la emoción de los padres y padrinos. Por ahí guisaban al aire libre una barbacoa. La fiesta popular se infiltraba hasta en las mejores imitaciones del imperio de Maximiliano.

El Ángel dejó en el centro del salón a su acompañante y se alejó siguiendo las tradiciones ensayadas. Comenzó a sonar un vals de Strauss, sin violines, con el sintetizador del conjunto rockero adaptado para las circunstancias. Un personaje viejo y fornido salió de la multitud y se acercó a bailar con la adolescente Celina.

Héctor se aproximó al borde de la pista.

—¿Me permite esta pieza señorita? —dijo el viejo.

—Tengo que bailarla con mi chambelán, señor —contestó la muchacha azorada, buscando con la vista a su acompañante enmascarado.

Héctor observó al viejo. El "Fantasma" Zamudio había perdido peso, el rostro estaba cambiado; tenía como rota la primitiva tensión que había conservado los músculos en su lugar; la mirada acerada seguía siendo la misma, estaba mal afeitado y el pelo un poco largo. ¿De dónde había sacado aquella horrible corbata grasienta con dibujos de pajaritos?

El Ángel se acercó siguiendo los pasos del intruso. Aproximándose desde la espalda del viejo se la tocó suavemente.

—Perdone, esta pieza estaba comprometida conmigo.

El rostro de Zamudio se alteró, estaba viendo a un muerto. Retrocedió tropezando. Celina, azorada, no sabía qué hacer, el Ángel resolvió, abriendo los brazos y tomándola para que todo volviera a ser rosa, san Strauss de por medio. Las parejas siguiendo el orden ensayado hasta el aburrimiento, comenzaron a bailar. Los padres suspiraron, nada se había estropeado.

Héctor caminó rápido para cortarle la salida a Zamudio, que a tropezones abandonaba la pista de baile.

—¿Le ocurre algo, señor?

Zamudio, haciendo esfuerzos para que nada pudiera apartarlo de sus pensamientos, siguió retrocediendo hacia la puerta.

—¿Vio usted a un muerto? —insistió el detective.

El viejo, sin previo aviso le lanzó un manotazo a Héctor, que al darle en el hombro lo mandó rebotando contra una de las mesas. El Ángel acudió corriendo para ayudar al detective. Héctor trató de levantarse. Se escuchaban gritos sueltos; seguía sonando el vals. El Ángel pescó a Zamudio cuando éste trataba de escurrirse, se abrazaron. Los luchadores tienen una memoria instintiva, una serie de reflejos laborales que ahora acudían sin querer a los actos de ambos. ¿Lucha o parodia?

Giraron abrazados derribando algunas mesas. De repente, Zamudio sacó una pistola. Héctor vio la escena que había ideado y que le había contado a Carlos Vargas, la reproducción del abrazo de Judas.

—¡No dispare! ¡No es el Ángel, es su hijo...! —gritó Héctor.

Zamudio respondió al aullido del detective congelándose por un instante. Luego de un manotazo le arrancó la máscara al Ángel. Era otro, parecía decir la cara del envejecido "Fantasma" Zamudio. Era otro fantasma. Héctor desde el suelo comenzó a sacar su pistola. Zamudio corrió hacia la puerta derribando enfurecidos padres de quinceañeras y camareros de chaquetilla blanca. La visión de las pistolas desenfundadas hizo que un corredor comenzara a crearse entre el viejo luchador y el detective.

Héctor dudó. Luego bajó la pistola y comenzó a levantarse. Zamudio había desaparecido por la puerta del salón. Al guardar su 45, el vals volvió a sonar. Este mundo aún creía en los efectos escénicos.

—¿Qué pasó? —preguntó el Ángel II recomponiendo su máscara y sacudiéndole el polvo a la chamarra de Héctor —¿Ése fue el que mató a mi papá?

—Un fantasma que vio a otro fantasma. Creyó que tendría que matar a tu padre dos veces.

El detective estaba preparándose unos frijoles refritos con chorizo en la cocina; mientras lo hacía, contemplaba la foto de Celia y los dos luchadores. Terminó poniéndola al lado de una foto de su muchacha de la cola de caballo que estaba pegada al refri con imanes. Cocinaba con vieja sapiencia, con técnica científica, controlando la altura de la flama, sin aceite, usando la grasa previa que había dejado el chorizo al freírse. Era una cura contra la soledad.

Héctor sabía, porque era un contumaz escuchador de boleros, que hay amores que matan. Que vienen directo a la vida surgidos de las peores telenovelas, que nacen como para que no acabes de creértelos y los mires con el cartesiano rabillo del ojo. Amores ni de verdad ni de mentiras, hijos de nuestros melodramas de película que insisten en reaparecer como si vinieran de la pura realidad, bajo la siniestra influencia del canal 2. La historia de la muerte de su amigo el Ángel I parecía salida de una película de Pedro Infante... ¿De quién era hija Celina? ¿Del Ángel y de Celia en ese momento de amor que duró horas? ¿Del "Fantasma" Zamudio, quien parecía exigir el derecho paterno de bailar el primer vals? ¿De qué máquina del tiempo había salido Zamudio?

Dejó de contemplar la foto porque se le quemaban los frijoles. Arrojó sobre ellos el par de huevos que había encontrado sobre la mesita de noche en su recámara y revolvió todo con lentitud y con prudencia, mientras bajaba la lumbre. Cuando el olor del guiso lo convenció, dejó el gas al mínimo y salió de la cocina, fue a buscar su chamarra tirada en el suelo a unos pasos de la puerta.

Sacó de ella la foto de Virginia que le había pedido prestada a su madre. Volvió a la cocina con ella en la mano y la colocó al lado de la de los fantasmas y Celia. Revolvió, probó la sazón. Terminó pegando la fotografía en el refri una al lado de otra y cenó mirándolas.

La de Virginia era otra historia de amor, nomás que ésta nunca había existido, alguien se la había inventado para poder matarla. Quedaban demasiados cabos sueltos. Parecían los flecos de una alfombra: estaba la "última" cinta que no lo era, una vecina que había testificado en falso diciendo que había encontrado en las escaleras esa noche la cinta de la muerta. Estaba la maestra que prestaba su casa al compañero de Virginia. Un compañero que nunca había sido novio. Estaba un automóvil que no había salido en la noche en que debería haberlo hecho. Y sobre todo, estaba una cinta desaparecida. ¿Por qué habían matado a Virginia? ¿Por lo que decía en esa cinta? ¿Por lo que sabía?

Limpió cuidadosamente los platos y la sartén con agua caliente y abundante detergente. Trató de que su vista no se tropezara con las fotos, con ninguna otra. Apagó las luces y fue hasta su cuarto en la oscuridad. En la oscuridad se quitó el parche del ojo, se desnudó y se dejó caer sobre la cama. Si durmió, durmió con el ojo abierto. Como los fantasmas. Como los muertos.

Laura se estiró, se desperezó y el pelo se salió del conservador moño que traía. Héctor la contempló guardándose muy bien de hacer observaciones. Si las hacía, a lo mejor ella intentaba recomponer su viejo estilo. Laura se inclinó sobre los mandos y soltó una cinta.

—Ustedes recuerdan la voz de Virginia, la adolescente que murió hace tres días en un extraño pacto suicida en la colonia Del Valle. Una voz que nos desconcierta, que unida al trágico final de su autora, nos conmueve... Esta voz:

Puso en marcha una casetera. La voz de Virginia llenó el pequeño estudio y se lanzó a tomar por asalto estéreos y *walkmans,* motorolas de VW y radios de transistores en la mesita de noche de adolescentes como ella:

—Hay días en que no sé ponerle nombres a las cosas. Hay días en que no sé cómo me llamo o de quién estoy enamorada.

Héctor reconstruyó su entrada al cuarto donde habían muerto los jóvenes, recordó el rostro de Virginia sobre la almohada, volvió a ver el resto del cuerpo que estaba cubierto por una sábana. Vio claramente el rostro que era tapado a veces por un médico, por los camilleros que estaban desdoblando la camilla y montándola, pero que quién sabe cómo volvía a surgir de abajo de la sábana, inmóvil para que lo contemplaran.

—Hoy debe ser uno de esos días en los que hablo por hablar —decía la voz de Virginia desde la casetera en el estudio— y quisiera encontrar con mi voz a alguien que se hiciera eco. Algo así como dejar de oírme a mí misma para poder oír a otro. Saber que la soledad es una tontería que una inventa jugando, pero que sólo se trata de eso, de un juego...

Laura hizo una suave disolvencia con las últimas palabras de Virginia, y tomó el mando del programa.

—Ésta es la voz de Virginia en una de las varias cintas que nos envió antes de su muerte. Pues bien, parece que no todo es tan claro. Surgen sombras sobre la versión hasta ahora aceptada del suicidio de esta adolescente de 17 años. De ello vamos a hablarles aquí, en la parte final de *La hora de los solitarios*, dentro de unos instantes. Pero antes, algo de música, música para no morir.

Como si fuera una equilibrista, mientras con la mano derecha hacía *fade* en los mandos de su micrófono, arrancó el tornadiscos con la izquierda. Comenzó a sonar una versión popular de la *Quinta* de Beethoven. Laura dejó los mandos y miró al detective.

—Ve despacio, no cuentes todo, sólo insinúa —dijo Héctor.

—¿Por qué?

—Porque no quiero que se pongan demasiado nerviosos.

—¿Quiénes?

—Ellos. En todas las historias siempre hay unos "ellos". Bueno, pues, que no se pongan nerviosos los "ellos" de esta historia.

—¿Hay algo que no me hayas contado? —preguntó Laura llevando el ritmo de la sinfonía con los dedos, tecleando en la consola sin darse cuenta.

—Un par de tipos que me siguen. Nada grave.

Laura lo miró sin saber si hacer inútiles llamados a la prudencia. Optó por quedarse callada.

—¿Cuál era tu relación con Virginia? —preguntó Héctor.

—Su madre es amiga mía, alguna vez nos vimos en su casa. A ella, a Virginia, le interesaba la radio, me lo preguntaba todo. De repente, me llegó una de esas cintas por correo, la pasé al aire, hablé con ella. Y empezó a mandármelas. Cinco o seis deben haber sido. No era nada del otro mundo, pero expresaban muy bien las angustias existenciales más directas de una adolescente.

Laura se acercó al micrófono, lo tomó entre las manos y operó el *switch*. Se olvidó temporalmente de Héctor y habló a los radioescuchas.

—Dos elementos que producen una fuerte duda en el caso del pacto suicida que produjo la muerte de Virginia han surgido en una investigación independiente ordenada por este programa: la cinta que nos enviaron no fue grabada el día de la muerte, se trataba de una vieja cinta; y escuchada sabiendo esto, no parece ser tan claramente como al principio el último mensaje de una suicida, sino tan sólo las reflexiones de una adolescente sobre la vida y la muerte. En segundo lugar, Virginia y Manuel, el muchacho que apareció junto a ella muerto y que disparó la pistola, apenas si se conocían, y desde luego no eran novios. Con esta información en las manos, no podemos dejar de preguntarnos: ¿qué es lo que realmente pasó esa noche en el departamento de la calle Rébsamen?

Laura subió la música y se apartó del micro.

—Con eso me lo vas a hacer el doble de difícil —dijo el detective.

—Son los problemas que causa trabajar con el cuarto poder, Héctor.

Se quedaron un rato en silencio escuchando al jolgorioso y alegre, lleno de cantos de esperanza, Beethoven. Cuando la música terminó, Laura se aproximó al micro. Nuevamente le habló con dulzura, como si fuera un objeto entrañable.

—No dejes que la soledad se alimente de ti. Acércate. Siempre podremos compartirla. Asómate a la ventana. Alguien está a mitad de los infiernos de la noche de esta ciudad, sintiendo que tiene una historia que contarte, y a través de la magia de la radio esa historia puede tocarnos a todos; podemos compartirla, hacerla nuestra... Incluso si es una historia como la de Virginia, desaparecida hace tres días en circunstancias extrañas. Incluso si es una historia sin final feliz como la de Virginia... de la que seguiremos hablando mañana, en este canal de comunicación mágica que viaja de las estrellas, recorre con el viento la ciudad y llega hasta ustedes... Desde *La hora de los solitarios*... se despide... Laura Ramos.

Lanzó un beso al micrófono y dejó correr el tema musical de salida.

Laura fue haciendo *fade* en los controles. Se desperezó, miró a Héctor. Con un gesto se despidió del solitario técnico de cabina al que casi nunca dejaba operar los mandos. Se fueron apagando las luces, quedó tan sólo una pequeña lámpara encendida sobre el micro, medio fantasmal.

—¿Tu casa o la mía? —preguntó la locutora.

—La tuya, la mía parece la casa de Usher, está llena de fantasmas —contestó Héctor no muy seguro de lo que estaba diciendo.

—La mía está habitada por una hija de seis años. ¿Sabes que estuve casada antes?

—Antes... —empezó Héctor con ánimo de hilvanar su historia, pero renunció con la primera palabra.

—Podríamos ir a pasear por ahí.

—Reforma a las cuatro de la mañana, no estaría mal en otra época —dijo el detective—. Últimamente me da miedo la oscuridad. Asaltan por ahí, te roban la cartera y los ánimos de pasear.

—No tengo cartera —dijo Laura.

—Yo tampoco.

Fue Reforma después de todo, en una noche cerrada, más negra que otras, más oscura. En la avenida de las enormes manifestaciones, en la calle elegida por el emperador para sus paseos a caballo, ahora casi solitaria, si no fuera por un par de taxis.

La pareja eligió el camellón, a distancia prudente de los, esa noche inexistentes, asaltantes y ladrones de también inexistentes carteras. Terminaron en el Presidente Chapultepec, ante un encargado de recepción, con cara impasible de funcionario inglés de aduanas que ya lo ha visto todo, y además muchas veces, y que esta vez apenas si observó a la extraña pareja sin maleta, que quería rentar la habitación por una noche, que pensaban duraría más de cinco horas.

Héctor se dejó caer sobre la cama mientras Laura contemplaba el cuarto. Luego la locutora lo fue recorriendo, dando pasitos y pequeños brincos hasta ocultarse tras la cortina. Héctor se estiró en la cama esperando los acontecimientos. De repente, un suéter voló por el aire y le cayó sobre la cara. Lejos aún del momento de la duda, cuando habría de pensar que esa mujer no era otra mujer, sino una mujer, se quitó un zapato y se lo arrojó a Laura que se había escondido tras un horrible cortinaje salmón. Ella le arrojó su blusa verde esmeralda. Héctor en justa retribución le aventó sin acertarle su chamarra. Cuando Laura le arrojó un brasier, asomando detrás de la cortina tan sólo el brazo desnudo, Héctor empezó a tomarse en serio el asunto y en rápida sucesión le tiró una camisa, el cinturón, otro zapato y dos calcetines grises. Laura respondió con una falda, un par de mocasines y unas pantimedias. Héctor lo pensó un momento, y sólo tras la risa de ella, la risa suave que a veces escuchaba en la radio, le arrojó los pantalones, que por falta de vuelo se quedaron a mitad de camino, sobre un sillón. Luego, a falta de calzoncillos, a los que había renunciado desde que se estropeó su lavadora eléctrica en el 82, el detective se cubrió púdicamente con la colcha. Nuevamente Laura tomó la iniciativa y un brazo solitario asomó tras la cortina e hizo girar unos calzoncitos bikini color verde esmeralda que luego flotaron en el aire un par de metros antes de caer lánguidamente al pie de la cama. Héctor pensó si podría aplazar el momento de la verdad tirándole las almohadas, lo pensó muy seriamente, luego salió de abajo de la colcha y avanzó hacia el cortinaje. Ella estaba esperándolo, casi sin poder contener la risa. Hicieron el amor detrás de las cortinas.

SEIS

> En el almanaque no ha sido marcado aún el día.
> Todos los meses, todos los días están libres aún.
> Uno de los días será marcado con una cruz.
>
> BERTOLT BRECHT

UN PAR DE HORAS DESPUÉS, Héctor se sentó en su cama y contempló las fotos de la muchacha de la cola de caballo que estaban colgadas en los muros de toda la casa. Se quedó ahí tan clavado a ellas como ellas lo estaban a la pared. Sin poderse mover. Las fue recorriendo con la vista una a una: ella bailando ballet cuando tenía quince años. Ella durmiendo desnuda, apenas tapada con una esquina de la sábana. Ella dos años antes, en una playa cerca de Las Hadas. Ella subiendo a un Renault arreglado, las manos manchadas de grasa que se limpiaba con estopa. Ella comiendo espaguetis. Ella tomando café, sin verlo, sin ver a nadie, hundida en algunos oscuros presentimientos que asomaban sobre el borde de la taza. Ella en Venecia, una Venecia sin gondoleros pero con el Gran Canal al alcance de la mano. Ella en Chapultepec mirando el lago, ambos fuera de foco, una foto casi imposible, digna de una cámara de cajón manipulada. Ella probándose una camiseta que le quedaba al menos dos tallas grande. Ella fumando. Nuevamente, ella fumando. Una vez más. Soltando el humo. Ella cocinando camarones a la plancha, sonriendo. Ella... Las paredes repletas, los pasillos, el baño, las puertas, la puerta del refrigerador, sobre los mosaicos de la cocina, en los zoclos del comedor, sobre la mesa, fotos enmarcadas, sueltas, apiladas, tomadas siempre por terceros, porque Héctor tenía miedo de las cámaras fotográficas. Sabía que robaban el alma. Diez fotos hacían una nostalgia. Cien hacían una obsesión. Y 898 una forma benigna de locura. Desde luego, 1 300 producían una locura de amor suicida. Él tenía 1 145, por lo menos ésas tenía la última vez que las había contado. Quizá fueran unas pocas más. Las últimas le llegaban por correo, enviadas por ella desde lugares cambiantes, con sellos de colores siempre diferentes. Por lo tanto, se encontraba a medio camino entre la locura amable y el suicidio, según sus propias tablas de comportamiento. No había duda, teníamos razón cuando queríamos impedir que los fotógrafos de *Life* y de *National Geographic* nos tomaran la foto. Esos hijos de la gran puta nos querían robar el alma. Y cuando la publicaban, le robaba el alma al que miraba.

Esa noche, su vecino el Mago vino a sacarlo de la locura y lo salvó invitándolo a jugar de nuevo dominó, el del desquite, con el tintorero y el oficinista del 7° A. Héctor ganó todas las partidas. Ganó incluso cerrando con la de seises en las manos, jugada suicida muy admirada por el tintorero. Sospechó que no lo volverían a invitar.

La maestra que prestaba su casa a sus alumnos para que se suicidaran era una mujer joven, de unos 25 años, sin duda nacida en Estados Unidos. Su voz tenía un fuerte acento, rasposo, y su actitud tenía algo equívoco. Parecía una mezcla de profesora de cocina en espacios matutinos de televisión y prostituta de lujo de Kansas City. Mostraba generosamente las piernas al sentarse.

—No ser muy bien. Yo le prestaba el departamento... *As a favor,* como un favor. ¿Verdad?

—¿Como un favor a quién? —preguntó el detective.

La maestra se hizo la desconcertada. Su rostro nervioso fabricó una mirada de incomprensión. Fumaba distraída, olvidó dónde había puesto el cigarro, lo encontró después de unos instantes de dar vueltas. Su rostro parecía pedir auxilio, sus piernas se mostraban aún más porque la falda había ascendido algunos centímetros sobre los muslos.

—¿Conocía usted al tío de Manuel? —preguntó Héctor.

—No, no lo creo.

—Qué extraño, tengo una foto de usted con él, sentados en un restaurante.

—¿Quiere usted decir el tío de Manuel?

—¿Qué relaciones guarda usted con el lechero?

Eso la desconcertó. Después de todo, quizá sí se estuviera tirando al lechero.

—¿Con quién? —preguntó estirando un poco la falda.

—Con cualquiera, qué importa. Vine a que me contara por qué Manuel tenía llaves de su casa, pero me doy cuenta de que no era Manuel quien las tenía, que hay un montón de cosas extrañas sucediendo aquí. Supongo que no querrá contármelas... ¿Conocía usted a Virginia?

La maestra-piruja de Kansas no sabía muy bien por dónde proseguir, clarito sentía el terreno pantanoso. Trató de nuevo después de morderse las uñas.

—No, a esa muchacha nunca la había visto. No es alumna de mí.

—Tengo una curiosidad enorme por saber de qué da usted clases.

—*English, of course,* claro está.

—No, pero aparte de eso...

La mujer dudó, quizá debería contarle algo. Héctor no esperó respuesta, tenía la sensación de que ya la conocía. Se puso de pie, le dio la espalda y salió hacia la puerta.

Sin embargo no salió del edificio, bajó dos plantas y tocó una nueva puerta. Desde el cubo de la escalera, dos pisos arriba, se supo vigilado por la maestra de inglés que daba clases de piernas-2. Doña Amalia abrió su puerta de repente. Tenía la cara hinchada, probablemente lloraba con las telenovelas de Verónica Castro.

—Buenas tardes, señora. ¿Se acuerda de mí? Estoy investigando...

—Sí, claro, joven.

—Nomás una pregunta, señora: ¿cuánto le pagaron para que entregara la cinta a la estación de radio? ¿La amenazaron? ¿Cuánto le dieron para que dijera que el paquete se le había caído a la muchacha en el pasillo? No es que quiera crearle algún problema, es que si dice usted mentiras es cómplice del asesinato, señora...

La mujer se puso a llorar. Héctor la contempló en silencio, luego le dio una palmada en la espalda. Cuando bajó el último tramo de las escaleras, la maestra aún lo seguía con la vista. El detective se sintió personaje de una película de curas irlandeses.

—Si usted me dice qué quiere, yo no me veo obligado a adivinarlo. Comprenderá que no me encuentro muy tranquilo con mi sobrino muerto en ese triste accidente... —dijo Márquez.

Era un hombre de unos 50 años, un tanto untuoso. Con aspecto benévolo, no parecía ser capaz de arrancarle las alas a una mosca capturada. Héctor lo contempló sin decir nada. Estaban sentados en un *hall* al pie de las escaleras, los pistoleros conocidos hacían discreto acto de presencia, pasando de la sala a la cocina con unos refrescos en la mano, subiendo las escaleras, simulando que no veían, como desentendiéndose del asunto. Se escuchaba un lejano rumor de música.

—La verdad, señor Márquez, quisiera saber tantas cosas que no sé por dónde empezar... —dijo el detective.

Márquez se puso de pie caminando hasta una cómoda situada en la esquina de la sala. Colocado ahí, en el otro extremo de la habitación, había creado una situación un tanto irreal. Héctor se dejó caer en un sillón. Márquez sacó una chequera y comenzó a extender un cheque.

—¿Cinco millones de pesos le parecen bien? Y nos ahorramos toda la conversación —dijo en voz alta mientras firmaba.

Héctor no contestó. Márquez se aproximó con el cheque en la mano, por delante de él, como abriéndole camino. El detective lo tomó entre los dedos. Márquez volvió a distanciarse, se fue de regreso al otro lado de la sala, como si el detective pudiera contagiarlo de un virus gripal.

—Entonces, cinco millones de pesos y aquí se termina la conversación... —dijo Héctor mirando de reojo al tipo.

—Así es —contestó Márquez.

Héctor sacó un cigarro y se lo puso en la boca, aplicó la llama del encendedor al cheque. La dejó crecer, y con ella encendió el cigarro.

—Caray, nunca me había sabido tan bien un cigarro —dijo casi hablando para sí mismo.

—De manera que vamos por el camino chueco. Me soplan los güevos los ostentosos —dijo Márquez haciendo un gesto de desencanto. Miró su chequera como para verificar que aún quedaban más y suspiró.

—Ostentosos, los que andan ofreciendo millones para que uno se encienda un vulgar Delicado con filtro, pendejo. En vez de andar regalándome un cheque, por qué no me cuenta el lugar que ocupaba su sobrino en la organización que usted tiene... O qué fue lo que averiguó Virginia Vali que a usted tanto le molestaba... O cuáles son sus relaciones con una maestra de inglés que enseña las piernas cuando da clases. Por cierto que le dije que tenía una foto de ustedes dos juntos y se puso muy nerviosa. No era para tanto, no debe ser usted mala pareja bailando tangos, o foxtrot, o pasodobles; bailes viejos, de rucos hijos de la chingada, pues.

Márquez se rió.

—Usted tiene muchas preguntas, demasiadas, amigo. Pregunta más que la policía. Mis amigos de la policía no andan encendiendo cheques como usted, nomás los cobran... Usted me late... cómo le dijera, a difunto, a pendejo, a suicida... es más, ni parece mexicano, porque...

Un grito que vino del piso de arriba interrumpió el parlamento de Márquez. Héctor levantó la cabeza. Vislumbró en un flash a una adolescente casi desnuda que corría por el pasillo posterior. Sólo un instante. Ni siquiera intentó moverse porque uno de los pistoleros se encontraba en esos momentos en la escalera cerrándole el paso y con una prometedora mano en el bolsillo. Cruzaron una mirada. Márquez prosiguió.

—Se me hace que tenemos poco que hablar. Si alguna vez descubre lo que pasó en ese cuarto entre mi sobrino, el pobrecito, y esa niña, me gustaría que me lo contara, incluso estaría dispuesto a pagar bien sus servicios...

Héctor se puso de pie, caminó flotando hasta la puerta, a pesar de su pierna herrumbrosa en los días de lluvia, a pesar del cansancio de los huesos. El Delicado le había sabido a gloria. Márquez se había quedado sonriendo, pero estaba equivocado. Los malos de las nuevas historias no sabían la chinga que les esperaba, no sabían los enormes recursos con que él bien contaba cuando se le añadía una pequeña dosis de cinismo y una abundante dosis de locura. Los hijos de la chingada no tenían ni remota idea de lo que la raza enfurecida les iba a hacer un día de éstos. Cómo les iban a quemar todos los cheques de cinco millones uno tras otro. Qué tremenda hoguerota.

Al salir de la casa de Márquez, Héctor sabía lo que necesitaba, ahora tenía que encontrar una idea medianamente inteligente para obtenerlo. Bajó caminando por Palmas y cuando se aburrió del sol, de las largas banquetas vacías de peatones y del *smog* que le lanzaban los automóviles, tomó un pesero y regresó hacia una zona de la ciudad donde se sentía más seguro. En una gasolinera cerca del Metro Chapultepec descubrió un viejo refrigerador de refrescos repleto de cocas chicas. Ya no había muchos en la ciudad, poco a poco eran sustituidos por las máquinas de cocas de lata o simplemente desaparecían en la nada. Bebió una, luego otra y en rápida sucesión se echó la tercera. Aparte de que las cocas chicas eran mejores que las familiares, como todo el mundo sabía, los cascos eran la parte medular de su plan. Ahí mismo compró un garrafón de plástico de cinco litros y le pidió al gasolinero que se lo llenara con diesel. Ya sólo necesitaba un paseo por el centro para obtener la química.

La noche es el territorio de la esperanza y la hora de los grandes fuegos pirotécnicos. A las dos de la madrugada con diecisiete minutos, Héctor entró al jardín de la casa de Márquez saltando la barda y silbando *La bamba;* de agilidad nada, casi se le cayeron las tres bombas stalin que se había pasado la tarde construyendo (gasolina, un chorrito de ácido sulfúrico, botellas chicas de coca cuidadosamente tapadas, formando un paquete amarrado con *maskin tape* y pintadas en el exterior con cola impregnada de cloruro de potasio). Avanzó por el jardín en medio de las sombras de los árboles. Buscó la seguridad de las puertas del garaje. Tendría que lanzar el paquete lo menos a 25 metros, una tarea del gordo Valenzuela sin lesiones. Calculó el lugar donde quería que impactara. Tenía que ser sobre la pequeña rotonda de cemento que había ante la entrada principal. Contó hasta tres y lo lanzó. La tremenda llamarada lo sorprendió. Casi esperaba que el asunto fallara y se viera obligado a ponerse a descubierto y sacar unos cerillos. Pero la explosión fue preciosa, la gasolina ardiendo se extendió rápidamente y pescó un toldo. El jardín se iluminó como si se hubiera adelantado el amanecer. Héctor produjo una sonrisa lobuna, había equivocado su oficio: en las noches incendiario, en las mañanas bombero. El paisaje comenzó a poblarse de ciudadanos en calzoncillos. Sus viejos amigos, los dos guaruras correlones, aparecieron por una puerta de servicio en un costado del edificio, con las pistolas en las manos. Héctor se deslizó al interior de la casa a través del garaje. En un pasillo del piso superior se cruzó con dos niñas de no más de 12 años en camisón. Fue abriendo las puertas. ¿Qué buscaba? Una foto. ¿Por qué? Porque aquí tendría que haber también una foto. La descubrió en una recámara de alfombras rojas. Estaba sobre la mesita de noche, era otra vez el rostro de Virginia, la adolescente muerta, que no lo parecía en la foto. Una fotografía tomada la misma noche del crimen, a una muchacha difunta cuyo cuerpo aún no había sido cubierto por la sábana.

—Usted no lo va a creer, pero me enamoré de ella —dijo una voz a sus espaldas.

—¿Antes o después de matarla? —contestó el detective sin voltear, con la mirada fija en la fotografía.

Márquez estaba vestido tan sólo con una pijama, descalzo. Caminó hacia la foto pasando al lado de Héctor y la tomó entre las manos.

—Tengo debilidad por las muchachas muy jóvenes, son tan suaves. Me gusta cogérmelas, lo tengo que admitir. Pero ésta no. Soy un pendejo. Nomás la vi dos veces, una con Manolo, la otra cuando vino a regañarme. Y así, en lugar de cojérmela la maté. Uno nunca hace lo que quiere. ¿Cómo se llamaba la escuincla pendeja esta? Como se llame. De ésta me enamoré.

Con un gesto de rabia Héctor Belascoarán trató de que el tipo se le quitara de enfrente, se desvaneciera. Luego extendió su mano para que el otro le devolviera la foto. Márquez retrocedió dos pasos. Héctor sacó la 45 y le disparó un tiro. Vio cómo el brazo derecho de Márquez, el que sostenía la foto, casi se cortaba en dos. El tipo chilló al ver la sangre que brotaba del brazo destrozado. El detective le dio la espalda y salió. Cuando brincaba la barda escuchó el sonido cercano de los carros de bomberos. Ni Tchaikovski para sinfonía.

El Ángel II no peleaba mal, tenía estilo elegante, cierta fluidez en los gestos aprendidos en rutinas. Volaba por el cuadrilátero con cierta gracia. Héctor, semioculto en uno de los pasillos, fumaba un cigarro mientras alternaba la visión de la pelea y ojeaba los rostros de los espectadores. Caras que actuaban para sí mismas con el pretexto de la lucha con sangre de mentiras que se producía en el ring.

Parecía elemental que la única manera de detener a un fantasma era cuando éste asistiera a una arena de lucha libre para ver combatir al hijo de otro fantasma.

El rostro del "Fantasma" Zamudio surgió en la multitud. Debería haber estado allí desde el principio, oculto a la mirada del detective con la cara encubierta por las solapas de la chamarra. No era el mejor momento del Ángel II, algo fallaba ahora, peleaba sin la consistencia de clase de su padre, no le iba la vida, podía seguir siendo maestro de química; la farsa le daba un relativo pudor, no se divertía. Aún así, cuando la pelea terminó, levantaron su brazo como vencedor. El "Fantasma" Zamudio comenzó a caminar hacia la salida sin esperar las peleas estelares. Héctor lo siguió.

Llovía en aquella parte del DF. El "Fantasma" entró al Metro con Héctor a unos 50 metros. Tres estaciones después descendió, el detective le dio unos segundos y comenzó a seguirlo entre la multitud de la estación Tacubaya. El Metro estaba en uno de esos momentos peliculescos. Las luces mágicas, los rostros que pasaban a toda velocidad, sin dejar registro, las voces de los vendedores en todos los pasillos de acceso. Llovía a la salida, Héctor aceptó agradecido el aire que le arrojaban las gotas sobre la cara. El "Fantasma" caminó perdido en sus más oscuros y hostiles pensamientos hacia un hotel de mala muerte. Héctor lo vio de lejos. Entraba en su casa. En su casa temporal. La lluvia arreciaba. Allá el "Fantasma", en la soledad de un cuarto, con sus fantasmas. Héctor pensó que no quería regresar al hogar a encontrar a los suyos. Prefería la lluvia en la cara. Se quedó parado en la acera, como puta maldita en la tormenta, iluminado por las luces rojas del hotel Savoy que parpadeaban en medio de los relámpagos.

El detective encendió un cigarro mientras se cubría de la lluvia en el portal de una farmacia cerrada, luego ocultó el tabaco entre los dedos haciéndole "casita" con la mano. Así fumaban los *boy scouts,* le había dicho una vez el "Gallo". Él nunca había sido *boy scout.* Caminó empapándose, pero sin prisa, atraído por las luces de una feria.

Se cobijó de la lluvia en la tarima cubierta de un *stand* de tiro al blanco.

—Los tuertos tienen buena puntería —dijo el puestero—. ¿Por qué no le prueba?

Héctor asintió y pagó 1 000 pesos. Comenzó a derribar con método una fila de brillantes águilas imperiales plateadas. Llevaba once y sin fallar una, cuando un disparo de verdad surgido a su espalda destrozó, a centímetros de su cara, la pared lateral del puesto. Giró sacando la pistola. No había nadie. El puestero contempló el enorme agujero sin tener muy claro cómo coño se había producido. Héctor alzó los hombros y encendió un cigarro. La mano le temblaba. Renunció a tirar la duodécima figura plateada con forma de águila.

Durante varios días, Héctor no fue a la oficina.

Permaneció encerrado en su casa con el teléfono desconectado, escuchando valses de Strauss, cocinando los restos de su muy averiada despensa, contemplando durante horas las fotos de la muchacha de la cola de caballo, y de vez en cuando la foto de Celia rodeada de los dos "Fantasmas". Comenzó a crecerle la barba. Vio en la televisión un torneo de golf. Volvió a las fotos con la sensación de que habían crecido en número. Dos de ellas lo retuvieron más tiempo en la observación, cinco, seis horas. Estaban a mitad del pasillo. En una, la muchacha de la cola de caballo estaba jugando un solitario, jugueteaba con una reina negra en la mano, dudando dónde ponerla, el pelo se le había deslizado cubriéndole un ojo, como Verónica Lake. En la otra, ella estaba tomando una foto a un grupo de huelguistas de hambre enfrente de la catedral. Uno de los huelguistas le sonreía recostado sobre un montón de mantas viejas.

Un día cocinó garbanzos de lata con queso de untar. No salió demasiado bien y tiró la mitad del guiso al excusado. Viendo la lavadora de ropa recordó que la muchacha de la cola de caballo había llegado un día sonriente y lo había convencido de que hicieran el amor sobre la lavadora. La ropa a medio arrancar del cuerpo, las medias enredadas en su cuello, los dos o tres centímetros que le faltaban para alcanzarla bien y penetrarla y que lo obligaban a levantarse sobre las puntas de los pies; las feroces vibraciones de la máquina que amenazaba con saltar bajo el doble impulso de sus arremetidas y la centrifugación. Un orgasmo memorable. El *Kamasutra* no decía nada de lavadoras de ropa. No había fotos de aquella vez. Hubieran salido movidas. Colocó un par de fotografías del rostro de la muchacha de la cola de caballo sobre la lavadora. Deambuló sonámbulo por la casa.

Pasaba de una foto a otra observando nuevos detalles en cada revisión. En la esquina de una fotografía donde ella se subía a un autobús había un ciclista. En esa foto tomada al salir del cineclub de Filosofía ella tenía una herida en el codo, una pequeña herida cubierta por una curita. Ella tenía el rostro asimétrico, un lado de los labios parecía más grande, más jugoso. Las fotos en blanco y negro, al atardecer, mostraban el pelo castaño, en las noches y gracias al flash lo mostraban mucho más oscuro. Héctor dormía poco, más bien permanecía contemplando el techo con el ojo abierto. Un día, los refrescos estaban terminándose, quizá era una señal de que la crisis tenía fin, avanzaba hacia algún lado. Sonó el timbre varias veces, no lo contestó. No esperaba a nadie. El ojo sano se le hundió, sombras de locura aparecieron bajo ambas órbitas. Al final de la semana sonrió ante el espejo donde su propio fantasma lo contemplaba y bajó a la calle a buscar un juguero ambulante que pudiera proporcionarle tres vasos de medio litro de jugo de naranja. Cruzó ante las fotos del pasillo sin mirarlas. Si volteaba se convertiría en una estatua de sal.

SIETE

A través de la ventana comprobó que todo
estaba en su sitio; el cielo y la tierra.
MANUEL VÁZQUEZ MONTALBÁN

HÉCTOR SE ENCONTRABA sentado en una mecedora ante el "Fantasma" Zamudio. No sólo eran de segunda el par de derrengados personajes, el hotel era de segunda también, a juzgar por el interior de los cuartos: paredes descascaradas y extraño mobiliario a punto de derrumbarse. La luz de neón rojiza se veía por la ventana y a veces cambiaba la iluminación de todo, manchando de sangre las caras de detective y luchador.

Se miraron con recelo. Un largo silencio.

—Bueno, y si lo maté, ¿qué?

Héctor alzó los hombros. El otro se fue enojando. El coraje le crecía por dentro ante la inacción del detective.

—Cada quien con su conciencia. Yo con la mía. Cada quien con sus muertos. Yo ya anduve cargando los míos mucho tiempo. Veinte años. Nomás 20 años de andar paseando mis muertos por aquí y por allá. Parecía funeraria. Pompas fúnebres Zamudio.

—¿Estaba muy enamorado? —preguntó el detective por decir algo.

El "Fantasma" Zamudio se encabronó ante la pregunta, qué pendeja pregunta era ésa; luego la pensó un poco, la digirió. Poco a poco empezó a sonreír.

—Le iba a romper el hocico por preguntarme eso. Pero ahora... Ya ni sé... Qué baboso. Ya ni me acuerdo bien. Ha de ser, porque si no...

Sus propias palabras lo irritaron al adquirir sentido en la cabeza. Se quedó callado un rato.

—A fuerzas que estaba bien enamorado —dijo el "Fantasma" Zamudio de repente—. ¿Usted cree que se mata a un cuate después de 20 años si no fuera por eso? El odio no dura tanto, nomás el amor dura así de fuerte. Ustedes no saben cómo es el amor, joven.

—¿Qué fue lo que pasó entre ustedes?

El Fantasma pareció no haberlo oído. Fue hacia un viejo arcón y sacó su máscara de los viejos tiempos, medio raída. Una máscara blanca donde se veían los huesos de una calavera.

—Lo que me dolió no fue que ella me dejara. Total, como la vieja esa, muchas. Lo que me dolió es que yo sí la quería, y él no; a él le valía. No le importaba... —hizo una pausa—. No es cierto, lo que me dolió es que era mi cuate. Y ya luego nunca pudimos seguir peleando juntos. Y yo me eché a la basura y anduve de aquí para allá 20 años, y llego después de pinches 20 años y le digo...

El "Fantasma" se había fugado del cuarto. Su mente lo había transportado hacia algún lugar en el pasado, muy cerca del eterno cuadrilátero. Pegadito a la muerte. Parecía haber retornado al lugar del crimen, al ring que tantas veces había compartido con el Ángel. Había vuelto al lugar del asesinato. Héctor, sin saber por qué, pensó que a veces la memoria evocaba teatralmente sucesos, con mucha mayor fuerza dramática que la realidad.

—Le dije: "¡Estás viejo Ángel, ya ni sabes caer!" Y él me contesta: "¿De dónde sales, 'Fantasma'?" Y yo le digo: "Ahí nomás, de la nada, güey, por tu culpa" y entonces, cuando nos estábamos abrazando, él me dice: "Y yo que ni la quería", y entonces se me pasó todo por enfrente de nuevo y saqué la pistola...

Sin aspavientos, sin mayores gestos, las lágrimas comenzaron a caerle por las mejillas, las dejó deslizarse por el rostro.

—¿Y para qué traía una pistola? —preguntó Héctor casi arrepentido de no dejarlo llorar tranquilamente.

—Pa' matarlo, ¿pa' qué va a ser? Yo sabía que el menso me iba a hacer recordar todo de vuelta. Llevaba 15 años diciendo: un día de éstos regreso y lo mato... Ni le vi la cara ese día. No le vi la cara, estaba enmascarado... Después de tantos años...

Se quedaron callados, en silencio. El "Fantasma" fue el primero en recobrar la voz:

—¿Y usted qué?

—No sé. Me duele que haya matado al Ángel, tan a lo sonso... Tan pendejo el asunto. Yo lo conocí hace tres años, era un buen cuate. ¿Conoció a su hijo?

—¿Ese que lucha? Ni vale gran cosa, se me hace...

—¿Usted sabe de lucha o también sabe de personas?

—No, de personas no sé. No ve qué cosas ando haciendo desde hace 20 años, puras salvajadas, puras reverendas mamadas.

—Pues lo vamos a ver al hijo, y que él decida —dijo Héctor. Era lo único que se le había ocurrido.

—¿Decida qué? —preguntó el "Fantasma".

—Cuál es su pena, si se entrega a la policía, si tiene que desaparecer para siempre; quién sabe, que él decida. Usted mató a su padre, que él decida... Yo qué chingaos sé de justicia.

—Nada de eso... Otros pinches 20 años de purgatorio...

Se levantó amenazador. Héctor se puso enfrente cerrándole el acceso a la puerta con un gesto de resignación.

—¿Me va a matar a mí también? ¿No se le hace demasiado? ¿No son muchos muertos ya por una mujer de la que ni siquiera estaba enamorado?

El "Fantasma" Zamudio se detuvo, miró al detective y miró a través de él, pensando en una mujer de la que a lo mejor, si lo hubieran dejado, se habría enamorado y luego habría olvidado. Héctor se le aproximó confundiendo la mirada de desconcierto con el asentimiento y lo tomó por el brazo. Los instintos laborales del "Fantasma" actuaron y el detective fue a botar contra la pared impulsado por un codazo. Héctor se resintió del choque, un fuerte dolor nació de las costillas y le subió a la cabeza. Reaccionó al revés de lo que debiera y volvió a acercarse de nuevo al "Fantasma", éste lo recibió con un golpe de antebrazo. Héctor cayó al suelo sintiendo que la garganta se le cerraba. Sí, así iba a ser la cosa. Sacó su pistola, la miró y la puso en el suelo al lado de la mecedora en la que había estado sentado. Avanzó hacia el "Fantasma" mostrando las manos abiertas y vacías.

Era una pelea absurda. En silencio. Un silencio provocado por ambos contendientes que sólo se rompía de vez en cuando por los jadeos y los ruidos de los muebles al romperse. Osos bailarines sin música zíngara.

A los cinco minutos de empujones, golpes de antebrazo, puñetazos y codazos, que el detective asimilaba como un saco de cemento, el "Fantasma" lo recibió con una patada voladora que acertó a Héctor en el pecho sacándole el aire.

El detective permaneció ahogándose tirado en el suelo, tratando angustiosamente de volver a respirar. El "Fantasma" le sonreía. Cuando Héctor recuperó el aliento se puso nuevamente de pie, sangrando por la nariz. El "Fantasma" le aplicó una Nelson, apretó con cautela, no fuera a ser que los huesos fueran débiles, y lo arrojó sobre el camastro. El detective sonrió entre las lágrimas que se le salían, la sangre y los mocos y volvió trastabillando sobre el luchador. El "Fantasma" azorado, desconcertado, comenzó a retroceder. El detective le estaba produciendo miedo, una vieja sensación que creía tener olvidada.

—¿Le paso un klínex? —preguntó el "Fantasma" Zamudio.

Héctor asintió, trató de regularizar la respiración mientras le pasaban el pañuelo de papel y luego dijo:

—Yo voy a seguir insistiendo, ¿por qué no lo deja ya? Vamos a ver al hijo del Ángel y que él decida su suerte.

Héctor se quitó la sangre de la nariz con el dorso de la mano. El "Fantasma", derrotado, asintió.

—Total, igual yo me iba a acabar matando por ahí, en un pedo, en un bule. Me iba a matar un pendejo con navaja, de un tiro. No en lucha. Total.

—Menos mal, porque yo no podía ya volverme a levantar —dijo Héctor Belascoarán Shayne, detective sangrante.

—¿Sabes qué, güey? Lo maté por amor, pendejo, ¿no te das cuenta?, era por amor. Y ni vayas a decir otra cosa. Ni vayas a decir nada. Ni vayas a abrir la pinche boca. Ni digas nada. Nada.

Héctor asintió.

Primero no había nada, y estaba muy bien. Luego la nada se rompió por el timbre de un teléfono. Con el ojo aún cerrado buscó a tientas el aparato.

—Sí, dime —dijo Héctor a la nada. ¿Por qué le hablaba de tú a la gente sin haber sido propiamente presentados?

—Llegó una cinta por el correo, de Virginia... —dijo Laura Ramos, la voz aterciopelada de siempre—. Tenías razón, cuenta que se enteró de los negocios de prostitución de niñas que tenía Márquez y que iba a tratar de convencer al idiota de Manolo para que la ayudara a denunciar el asunto. Voy a pasarla hoy en la noche y enviar copia a todos los periódicos...

Héctor no supo qué contestar y colgó. Volvió a la nada.

—*La hora de los solitarios* —dijo Laura— sintonizando con ustedes. No con ustedes en general, con cada uno de ustedes, con cada persona individual, única, inconfundible, y por tanto, solitario personaje de la ciudad más grande del mundo, el monstruo del DF que amenaza comernos si no ponemos enfrente las barreras de la solidaridad...

Héctor la contempló desde el otro lado del vidrio, en el cuarto de mandos más allá de la cabina, sin que

Laura pudiera verlo. Tamborileó suavemente con los dedos en el cristal, pero ella no lo oyó. Sin mucha prisa, el detective salió de la estación de radio.

En su casa el aparato estaba sintonizado en la XEKA.

—...las barreras que permiten que extendiendo un dedo podamos tocarnos y dejar de ser unos y otros... Aunque sólo sea para poder contarnos una historia. Como la historia que quiso contarnos Virginia hace una semana y que no pudo contar. ¿Se acuerdan de Virginia, aquella adolescente que asesinaron? Todos ustedes lo habrán leído en los periódicos, ha estado en primera plana por la noticia de la captura del asesino... Virginia que hoy, gracias a la magia de las cintas, está aquí. Detengámosla en el aire pensando en ella, escuchemos su historia. Cuidémonos de una ciudad que amenaza con tragarnos. El silencio es la peor forma de muerte. Te escuchamos, Virginia.

Héctor apagó la radio y luego pateó el aparato, sin furia, con conciencia cívica, como cumpliendo una obligación que había que cumplir. Por más que lo intentaran, la voz de Virginia sonaría vacía. Por mucho que las palabras de Laura trataran de ayudarla, de revivirla, la voz de Virginia sonaría como lo que era: una adolescente muerta.

Una semana después, volvió a repetir el gesto, caminó hacia la radio y la apagó a mitad de una polonesa de Chopin. Le arrimó un suave patín al equipo estereofónico. Fue hacia la cocina buscando un refresco. Estaba cansado, aún le dolían las costillas; por eso, necesitaba cosas seguras: un refresco frío. Cosas seguras: las fotos de la muchacha de la cola de caballo, que estaban ahí, inmóviles, reteniendo un gesto para siempre. La calle que no se había movido, que seguía esperando tras la ventana. Una semana antes, cuando abandonaron el hotel, el "Fantasma" comenzó a llorar. El detective lloró un poco también. No le gustaba el recuerdo de dos tipos llorando tomados del brazo por Tacubaya, uno de ellos con un pañuelo sangriento cubriéndole la nariz, el otro, cargando, como si no pesara nada, una vieja maleta negra. Era un recuerdo extraño, sobre todo porque los vislumbraba en el cine de la memoria, desde lejos, desde afuera.

Se quedó un rato observando las fotos de la muchacha de la cola de caballo: ella bailando twist a los quince años; ella paseando por las islas de CU durante la huelga del 68; ella dándole un vaso de leche a su sobrino. Eran sólo fotos, se dijo. No se engañó en lo más mínimo. No había fotos, había recuerdos, había fantasmas.

Cuando acabó el refresco dejó cuidadosamente el casco en el suelo y fue por un segundo refresco. Siempre somos otros, se dijo. La angustia empezaba a ceder. Se quedó mirando el atardecer. Un sol rojo en una ciudad gris.

Los verdaderos fantasmas, el de una adolescente a la que le habían hecho trampa, y le habían falsificado no sólo un suicidio, sino una despedida. Los fantasmas de a deveras: el del Ángel I, un luchador que caía sobre la lona siempre bien y que le había prometido enseñarle, y el de una mujer llamada Celia, de la que el tipo estuvo enamorado un día, y ambos eternamente perseguidos por el fantasma de Zamudio, vagaban insomnes sin poderse encontrar. Eran historias de amor a medio camino.

Inexistentes historias de amor. Puras y pinches, culeras historias de amor derrotadas porque nunca fueron. "Como las mías", informó el detective a su reacio subconsciente.

Se quedó pensando en que, de nuevo, todos habíamos perdido otra batalla.

Ciudad de México,
primavera de 1989.

ÍNDICE

UN ADELANTO DE LA SÉPTIMA NOVELA DE LA SERIE BELASCOARÁN SHAYNE, *SUEÑOS DE FRONTERA* (a publicarse próximamente)

—Pero, ¿usted lo vio?

—No, yo soy de otros ranchos, nací en Aguascalientes, viví en el DF y nomás llevo aquí tres años. Pero me lo contaron.

—¿Y fue ahí en esa reja?

—Ahí mero; por esa mera reja saltó el chino las siete veces.

Héctor Belascoarán Shayne, por pésimo oficio detective democrático e independiente mexicano, cuidadosamente contempló la alambrada verde que hacía de frontera con Estados Unidos, que cortaba países como quien corta mantequilla; la reja verde, aparentemente inofensiva, que se tornaba del lado mexicano en la yerba y los arbolitos del parque Revolución de Mexicali. Había escuchado la historia del chino tres veces desde que llegó a la ciudad; la misma historia con pequeñas variaciones. Era demasiado bonita para ser cierta, se dijo, mirando el pequeño parque al otro lado de la calle y la reja de unos tres metros de altura. Una vieja torre de agua, de las que suelen aparecer en los *western* de Leone, al lado de las pequeñas estaciones de ferrocarril, remataba la reja un centenar de metros antes de donde se iniciaba el puente internacional. Sobre ella, un policía fronterizo norteamericano con una escopeta en los brazos fumaba un puro. Al otro lado Caléxico, un poco más allá, San Diego...

—Entonces, resumo: hubo un chino que un día saltó la reja verde esa. Y los gringos lo agarraban y lo deportaban de vuelta, ahí mismo; y volvía a tratar. Seis veces en un día, y la séptima se les escapó y se fue pa dentro. ¿Ésa es la historia?

—Así es —contestó Macario. Una leve sonrisa pareció cruzarle el rostro, casi oculto por la gorra de beisbolista.

—¿Y cómo se llamaba el chino? —preguntó Héctor.

—Sepa su puta madre... Lin Piao... Yo qué sé... Pero manito, ese chino no es cualquier pendejo, es el *record man* de aquí. Siete brincos en un día, ni yo... Ni-siquiera-yo... Qué, ¿en el DF ya no tienen héroes y leyendas y chingaderas de éstas?

Un flujo casi continuo de automóviles avanzaba hacia la línea. Héctor los contempló soñoliento. El sol caía a plomo. Cuarenta grados centígrados le habían dicho. Para freír un huevo en la carrocería de un automóvil. A él se le estaban friendo los dos.

—¿Y ella? —preguntó el detective, pero casi sin ánimo de que le cambiaran la historia. En principio le interesaba mucho más lo del chino, le invadía los pensamientos el oriental saltarín de rejas. Lo imaginaba vestido de blanco, avanzando tenaz sobre el parque, descalzo (los pies sobre la yerba), lírico chino brincador, terco (la obstinación es uno de los favoritos lugares comunes que la imaginación popular ha construido en materia de chinos).

—No, ella no brincó la barda. O por lo menos de eso no hay leyenda... Cuanto hijo de la chingada pinche rumoroso anda por este rancho estaría contándolo. Sería chisme: "Actriz de cine anda de mojada. Brinca reja en Mexicali para ir a Hollywood."

—Ya estuvo en Hollywood.

—¿A poco?

—Sí, hace como cuatro años, trabajando en una película de Aldrich. Hacía de la hija de un narco colombiano. ¿No la viste?

—No —dijo Macario sobándose la mandíbula.

—Yo tampoco —dijo Héctor sin añadir que aunque no había visto la película, en esas dos últimas semanas se la había imaginado frecuentemente.

Cuando la historia del chino se introdujo de contrabando y tenazmente en la conversación, llevaban tres horas caminando por el centro de Mexicali (zapaterías, licorerías, taquerías) bajo un sol sahariano que hubiera hecho la envidia de los *western* filmados en Andalucía. Tres horas en un país extraño, ni mexicano ni norteamericano; tierra donde todos eran extranjeros. No resultaba fácil ser mexicano en aquellas ciudades llenas de luz agresiva, polvo y anuncios en inglés. Héctor sintió que su bigote había adquirido nuevas canas ante el ataque del sol.

—Me gusta el mito del chino —dijo el detective—. Llevo aquí dos días y me lo han contado ya tres veces.

—La frontera está llena de historias de ésas.

—Sería chino-mexicano —dijo Héctor.

—Desde luego. No podía ser un chino en general, tenía que ser un chino de Sinaloa, un local de Mexicali, o uno de la calle Dolores en el DF. Voy a añadir eso la próxima vez que lo cuente —dijo Macario.

Caminaron hacia el centro de nuevo. Héctor había venido a buscar a una mujer y se encontraba con la leyenda de un chino.

—¿Y por qué sólo siete veces? —preguntó de repente.

—Porque la última no lo agarraron. Es una leyenda con final feliz —dijo Macario.

Macario lo sabía todo en Mexicali. Periodista más por curioso que por amor a la divulgación de las noticias, la frontera se le había vuelto el refugio de un montón de derrotas de las que ya no se acordaba demasiado. Derrotas viejas. Olvidos nuevos. Héctor lo conocía poco, pero le resultaba confiable con aquella gorra de beisbolista que le cubría la mirada aguileña. Su hermano se lo había recomendado en el DF. Le había dicho: "Busca a Macario Villalba. El 'Gansito Villalba' allá en Mexicali. Él lo sabe todo. Además todo lo cuenta. Es un resucitado. Se trató de envenenar con ratso hace como cinco años y lo salvaron con un lavado estomacal. Dile que vas de parte mía." Héctor no tenía gran cosa: una tarjeta postal de un hotel de Mexicali y a Macario. En el hotel no sabían nada, ni siquiera recordaban a la mujer y Macario estaba bien, conocía historias de chinos, pero no sabía nada de Ella.

Buscar a esa mujer era como tratar de recordar los nombres de todos los personajes de las novelas de Tolstoi que había leído. Era como nadar en la luz pegajosa de ese sol inclemente de Mexicali. Como acordarse de los ganadores de la Vuelta Ciclista a México en las ediciones de los años sesenta. Era, Héctor descubrió la verdad, no sólo una investigación imposible, también un esfuerzo de memoria.

—¿Rentó coche?

—¿Para qué? —preguntó Héctor.

—Para irse a otro lado, para cruzar la frontera. Espérame tantito —dijo Macario, y lo dejó ahí en el sol, mientras entraba a un hotel. Héctor contempló el gran anuncio luminoso, ahora apagado en la fachada, como una cartelera de cine: "Bienvenidos distribuidores de Jarritos, S.A." Macario salió a los quince minutos.

—Rentó un coche para ir a Ensenada —dijo sonriendo. Se quitó la gorra de beisbolista y con ella saludó al detective.

[...]